# 编者的话

　　"欲修大道者，应先修良知良能。"良知良能是指人天赋的道德观念，良知良能即是良心。王阳明说："见父自然知孝，见兄自然知弟，见孺子入井自然知恻隐，此便是良知。"我们的传统文化中就包含着这些哲理，通过学习传统文化，建立起自己内在的规范、独特的思想、行动的准则，能在自觉自信下做一个堂堂正正的人。

　　青少年阶段正是世界观、人生观和价值观初步形成的时期，正确的引导显得尤为重要。这个阶段的孩子求知欲强、记忆力好。这个时候，应该让他们把前人的一些经典作品记忆下来，做到烂熟于心，让他们在今后的人生道路上做到"厚积薄发""融会贯通"。这种从记忆，经体验，再到理解、内化的教育模式，是简单、科学、高效的，也是我们应该继承和发扬的。

　　根据孩子这样的成长、认知特点，我们编辑出版了这套"书声琅琅"国学诵读系列图书。该套书主要的栏目有：诵原文、读注释、看译文、品故事、学知识。以原文大字注音，清朗简洁的排版方式，重点引导孩子诵背原文；合理地编选一些故事，再配上具有连环画风格的插图，让孩子能更好地理解原文。通过诵读和理解，让他们明白更多的做人做事道理，健全完善他们的人格。所有栏目的设置，秉持一个基本的原则：让孩子喜欢、爱读，让家长便于解说、引导。

这套书共8册，主要有传统的"蒙学"经典《三字经》《千字文》《百家姓》《弟子规》，儒家经典选编《论语》《大学·中庸》，还有流传甚广的《增广贤文》（选编）《声律启蒙·笠翁对韵》，都是能够让孩子朗朗上口的诵背读物。

有人说，孩子是一张白纸，在上面能够画出最美的图画。在互联网、移动互联网不断改变人们生活节奏的今天，让孩子从这些基础"国学"图书中汲取营养，让他们"亲近国学，健康成长"吧！

**编 者**

书声琅琅 国学诵读本

# 弟子规

原著 清·李毓秀

主编 郎建 编写 刘承沅

插图 张代华 审校 夏应鹏

勿擅为 苟擅为 子道亏 物虽小 勿私藏
出必告 反必面 居有常 业无变 事虽小
须顺承 冬则温 夏则清 晨则省 昏则定
父母命 行勿懒 父母教 须敬听 父母责
而亲仁 有余力 则学文 父母呼 应勿缓
弟子规 圣人训 首孝弟 次谨信 泛爱众

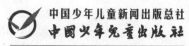

中国少年儿童新闻出版总社
中国少年儿童出版社

北京

图书在版编目（ＣＩＰ）数据

弟子规 / 刘承沅编. -- 北京 ：中国少年儿童出版社，2014.1（2016.1重印）

（书声琅琅国学诵读系列 / 郎建主编）

ISBN 978-7-5148-1357-9

Ⅰ.①弟… Ⅱ.①刘… Ⅲ.①古汉语－启蒙读物 Ⅳ.①H194.1

中国版本图书馆CIP数据核字(2013)第275771号

DI ZI GUI

 出版发行:中国少年儿童新闻出版总社
中国少年儿童出版社

出 版 人：李学谦

执行出版人：赵恒峰

| 主 编：郎 建 | 总 策 划：郎 建 |
|---|---|
| 责任编辑：贺泽红 | 选题策划：周 晖 |
| 美术编辑：谭 欣 | 责任印务：刘 颖 |

| 社 址：北京市朝阳区建国门外大街丙12号楼 | 邮政编码：100022 |
|---|---|
| 总编室：010-57526071　57350133 | 传 真：010-57526075 |
| 发 行 部：010-57350009 | |
| 网 址：www. ccppg. com. cn | |
| 电子邮箱：zbs@ccppg. com. cn | |

印刷：北京旺银永泰印刷有限公司

| 开本：920mm×650mm　1/16 | 印张:10 |
|---|---|
| 2014年1月第1版 | 2016年1月北京第5次印刷 |
| 字数：100千字 | 印数：10000册 |
| ISBN 978-7-5148-1357-9 | 定价：13.80元 |

图书若有印装问题，请随时向印务部退换。（010-57350105）

# 目录

## ～ 总 叙 ～

## ～ 入则孝 ～

## ～ 出则弟 ～

## ～ 谨 ～

## 信

## 泛爱众

## 亲 仁

## 余力学文

全文诵读

# 弟子规

## 〈总 叙〉

dì zǐ guī　shèng rén xùn　shǒu xiào tì　cì jǐn xìn
弟子规，圣人训。首孝弟，次谨信。

fàn ài zhòng　ér qīn rén　yǒu yú lì　zé xué wén
泛爱众，而亲仁；有余力，则学文。

## 〈入则孝〉

fù mǔ hū　yìng wù huǎn　fù mǔ mìng　xíng wù lǎn
父母呼，应勿缓；父母命，行勿懒。

fù mǔ jiào　xū jìng tīng　fù mǔ zé　xū shùn chéng
父母教，须敬听；父母责，须顺承。

dōng zé wēn　xià zé qìng　chén zé xǐng　hūn zé dìng
冬则温，夏则清；晨则省，昏则定。

chū bì gào　fǎn bì miàn　jū yǒu cháng　yè wú biàn
出必告，反必面；居有常，业无变。

shì suī xiǎo　wù shàn wéi　gǒu shàn wéi　zǐ dào kuī
事虽小，勿擅为；苟擅为，子道亏。

wù suī xiǎo　wù sī cáng　gǒu sī cáng　qīn xīn shāng
物虽小，勿私藏；苟私藏，亲心伤。

qīn suǒ hào　lì wèi jù　qīn suǒ wù　jǐn wèi qù
亲所好，力为具；亲所恶，谨为去。

shēn yǒu shāng　yí qīn yōu　dé yǒu shāng　yí qīn xiū
身有伤，贻亲忧；德有伤，贻亲羞。

qīn ài wǒ　xiào hé nán　qīn wù wǒ　xiào fāng xián
亲爱我，孝何难；亲恶我，孝方贤。

qīn yǒu guò　jiàn shǐ gēng　yí wú sè　róu wú shēng
亲有过，谏使更；怡吾色，柔吾声。

jiàn bú rù　yuè fù jiàn　háo qì suí　tà wú yuàn
谏不入，悦复谏；号泣随，挞无怨。

qīn yǒu jí　yào xiān cháng　zhòu yè shì　bù lí chuáng
亲有疾，药先尝；昼夜侍，不离床。

sāng sān nián　cháng bēi yè　jū chù biàn　jiǔ ròu jué
丧三年，常悲咽；居处变，酒肉绝。

sāng jìn lǐ　jì jìn chéng　shì sǐ zhě　rú shì shēng
丧尽礼，祭尽诚；事死者，如事生。

〈出则弟〉

xiōng dào yǒu　dì dào gōng　xiōng dì mù　xiào zài zhōng
兄道友，弟道恭；兄弟睦，孝在中。

cái wù qīng　yuàn hé shēng　yán yǔ rěn　fèn zì mǐn
财物轻，怨何生？言语忍，忿自泯。

huò yǐn shí　huò zuò zǒu　zhǎng zhě xiān　yòu zhě hòu
或饮食，或坐走，长者先，幼者后。

长 呼人，即 代 叫，人 不 在，己 即 到。

称 尊 长，勿 呼 名；对 尊 长，勿 见 能。

路 遇 长，疾 趋 揖；长 无 言，退 恭 立。

骑 下 马，乘 下 车；过 犹 待，百 步 余。

长 者 立，幼 勿 坐；长 者 坐，命 乃 坐。

尊 长 前，声 要 低，低 不 闻，却 非 宜。

进 必 趋，退 必 迟；问 起 对，视 勿 移。

事 诸 父，如 事 父；事 诸 兄，如 事 兄。

〈谨〉

朝 起 早，夜 眠 迟；老 易 至，惜 此 时。

晨 必 盥，兼 漱 口；便 溺 回，辄 净 手。

guān bì zhèng　niǔ bì jié　wà yǔ lǚ　jù jǐn qiè
冠必正，纽必结，袜与履，俱紧切。

zhì guān fú　yǒu dìng wèi　wù luàn dùn　zhì wū huì
置冠服，有定位，勿乱顿，致污秽。

yī guì jié　bú guì huá　shàng xún fèn　xià chèn jiā
衣贵洁，不贵华；上循分，下称家。

duì yǐn shí　wù jiǎn zé　shí shì kě　wù guò zé
对饮食，勿拣择；食适可，勿过则。

nián fāng shào　wù yǐn jiǔ　yǐn jiǔ zuì　zuì wéi chǒu
年方少，勿饮酒；饮酒醉，最为丑。

bù cóng róng　lì duān zhèng　yī shēn yuán　bài gōng jìng
步从容，立端正，揖深圆，拜恭敬。

wù jiàn yù　wù bǒ yǐ　wù jī jù　wù yáo bì
勿践阈，勿跛倚，勿箕踞，勿摇髀。

huǎn jiē lián　wù yǒu shēng　kuān zhuǎn wān　wù chù léng
缓揭帘，勿有声；宽转弯，勿触棱。

zhí xū qì　rú zhí yíng　rù xū shì　rú yǒu rén
执虚器，如执盈；入虚室，如有人。

shì wù máng　máng duō cuò　wù wèi nán　wù qīng lüè
事勿忙，忙多错，勿畏难，勿轻略。

dòu nào chǎng　jué wù jìn　xié pì shì　jué wù wèn
斗闹场，绝勿近；邪僻事，绝勿问。

将入门，问孰存；将上堂，声必扬。

人问谁，对以名，吾与我，不分明。

用人物，须明求；倘不问，即为偷。

借人物，及时还；人借物，有勿悭。

〈信〉

凡出言，信为先，诈与妄，奚可焉。

话说多，不如少，惟其是，勿佞巧。

刻薄语，秽污词，市井气，切戒之。

见未真，勿轻言；知未的，勿轻传。

事非宜，勿轻诺，苟轻诺，进退错。

凡道字，重且舒，勿急疾，勿模糊。

彼说长，此说短，不关己，莫闲管。

见人善，即思齐，纵去远，以渐跻。

见人恶，即内省，有则改，无加警。

惟德学，惟才艺，不如人，当自砺。

若衣服，若饮食，不如人，勿生戚。

闻过怒，闻誉乐，损友来，益友却。

闻誉恐，闻过欣，直谅士，渐相亲。

无心非，名为错；有心非，名为恶。

过能改，归于无，倘掩饰，增一辜。

〈泛爱众〉

凡是人，皆须爱，天同覆，地同载。

xíng gāo zhě　míng zì gāo　rén suǒ zhòng　fēi mào gāo

行高者，名自高，人所重，非貌高。

cái dà zhě　wàng zì dà　rén suǒ fú　fēi yán dà

才大者，望自大，人所服，非言大。

jǐ yǒu néng　wù zì sī　rén yǒu néng　wù qīng zǐ

己有能，勿自私；人有能，勿轻訾。

wù chǎn fù　wù jiāo pín　wù yàn gù　wù xǐ xīn

勿谄富，勿骄贫，勿厌故，勿喜新。

rén bù xián　wù shì jiǎo　rén bù ān　wù huà rǎo

人不闲，勿事搅；人不安，勿话扰。

rén yǒu duǎn　qiè mò jiē　rén yǒu sī　qiè mò shuō

人有短，切莫揭；人有私，切莫说。

dào rén shàn　jí shì shàn　rén zhī zhī　yù sī miǎn

道人善，即是善，人知之，愈思勉。

yáng rén è　jí shì è　jí zhī shèn　huò qiě zuò

扬人恶，即是恶，疾之甚，祸且作。

shàn xiāng quàn　dé jiē jiàn　guò bù guī　dào liǎng kuī

善相劝，德皆建；过不规，道两亏。

fán qǔ yǔ　guì fēn xiǎo　yǔ yí duō　qǔ yí shǎo

凡取与，贵分晓，与宜多，取宜少。

jiāng jiā rén　xiān wèn jǐ　jǐ bú yù　jí sù yǐ

将加人，先问己，己不欲，即速已。

ēn yù bào　　yuàn yù wàng　　bào yuàn duǎn　　bào ēn cháng
恩 欲 报，怨 欲 忘；报 怨 短，报 恩 长。

dài bì pú　　shēn guì duān　　suī guì duān　　cí ér kuān
待 婢 仆，身 贵 端；虽 贵 端，慈 而 宽。

shì fú rén　　xīn bù rán　　lǐ fú rén　　fāng wú yán
势 服 人，心 不 然；理 服 人，方 无 言。

## 〈亲　仁〉

tóng shì rén　　lèi bù qí　　liú sú zhòng　　rén zhě xī
同 是 人，类 不 齐；流 俗 众，仁 者 希。

guǒ rén zhě　　rén duō wèi　　yán bú huì　　sè bú mèi
果 仁 者，人 多 畏；言 不 讳，色 不 媚。

néng qīn rén　　wú xiàn hǎo　　dé rì jìn　　guò rì shǎo
能 亲 仁，无 限 好，德 日 进，过 日 少。

bù qīn rén　　wú xiàn hài　　xiǎo rén jìn　　bǎi shì huài
不 亲 仁，无 限 害，小 人 进，百 事 坏。

## 〈余力学文〉

bú lì xíng　　dàn xué wén　　zhǎng fú huá　　chéng hé rén
不 力 行，但 学 文，长 浮 华，成 何 人。

dàn lì xíng　　bù xué wén　　rèn jǐ jiàn　　mèi lǐ zhēn
但 力 行，不 学 文，任 己 见，昧 理 真。

读书法，有三到，心眼口，信皆要。

方读此，勿慕彼，此未终，彼勿起。

宽为限，紧用功，工夫到，滞塞通。

心有疑，随札记，就人问，求确义。

房室清，墙壁净，几案洁，笔砚正。

墨磨偏，心不端，字不敬，心先病。

列典籍，有定处，读看毕，还原处。

虽有急，卷束齐，有缺坏，就补之。

非圣书，屏勿视，蔽聪明，坏心志。

勿自暴，勿自弃，圣与贤，可驯致。

全文精诵及详解

# 总叙

dì  zǐ  guī    shèng rén xùn
# 弟子规，圣人训。
shǒu xiào tì    cì  jǐn xìn
# 首孝弟，次谨信。

 **注释**

圣人：指儒家创始人孔子。

训：教训，教诲。

孝：对父母长辈服从或奉养。

弟：同"悌"，同辈间互相友爱。

谨：说话谨慎、慎重。

**译文**

　　《弟子规》这本书，是依据孔子的教诲编写而成的生活规范。首先我们要做到孝顺父母、友爱兄弟姐妹，其次要谨慎做事，诚恳守信。

**故事**

## 李密辞官为祖母尽孝

　　李密6个月大的时候，父亲去世了，4岁的时候，母亲改嫁，后来由祖母抚养成人。

　　长大后，李密当上了外交官，为蜀国做出了很大的贡献，一时间声名显赫。蜀国灭亡后，李密做了一个决定，要辞官回家为祖母尽孝。他对祖母说："您辛辛苦苦把我养大成人，您的养育之恩，我一生都报答不了。"

在家中，李密对祖母的照顾无微不至。冬天，他天不亮就把炭火点好，放在祖母的身旁；夏天，他怕祖母被蚊虫叮咬，就在睡前为祖母扇扇子。祖母的被褥脏了，李密耐心地拆下换洗；祖母的衣服脏了，李密便背到河边去洗。就这样，祖母在李密的照料下，生活得非常舒适。

后来，朝廷想要李密入朝做官。可李密却写了一封书信，说要"终养祖母，然后报效国家"，这封信便是名传千古的《陈情表》。

### "圣人"孔子

"圣人"指的是儒家文化的创始者——孔子。孔子，字仲尼，春秋时期鲁国人。中国古代的大思想家和大教育家，被后人尊为孔圣人，是"世界十大文化名人"之首。孔子和战国时期的孟子，被后世称为"孔孟"，他们两人思想的结合，形成了儒家思想中的"孔孟之道"。

fàn  ài  zhòng    ér  qīn  rén
# 泛爱众，而亲仁；
yǒu  yú  lì    zé  xué  wén
# 有余力，则学文。

## 注释

泛：广泛地。　　　　　亲仁：亲近有道德的人。
学文：学习文化知识或技能。

## 译文

　　要对社会大众有着广泛的爱心，并亲近有品德、有仁爱之心的人。之后再有精力或时间，就去学习一些文化知识或技能。

## 故事

### 董遇巧用三余

　　董遇是三国时期的名人，他从小家里很穷，每天上午要上山砍柴，下午要下地种庄稼，空闲下来还要给牛割草，太阳下山了，又要给全家烧饭，根本没有时间和钱上学。

　　可是董遇一有空，就会坐下来读书。到了四十岁时，他的名气越来越大，附近的人纷纷前来求教，并问他是怎样学习的。董遇说："虽然我每天都很忙，但我想，只要一个人想学，时间总是可以挤出来的，而我的小窍门就是巧用三余。"

　　有人急忙问："什么叫三余呢？"

董遇笑着说："三余就是冬余、夜余、日余。具体来说：冬天是一年农闲的时间，所以叫冬余；夜晚是一天空闲的时间，所以叫夜余；下雨的日子不能出门干活，也是一种空余的时间，所以叫日余。我的学习时间，就是充分利用这三余啊！"

## "仁"是什么

"仁"，其实就是两个字的组合：一个是"人"，一个是"二"。

《说文解字》认为，"仁"的本义是指两个人之间互相关爱，和谐相处。

春秋时期，孔子把"仁"单独提出来，作为儒家思想的核心，并认为"孝弟"是"仁"的基础，是每个人都应遵守的行为准则。

# 入则孝

fù mǔ hū　　yìng wù huǎn
## 父母呼，应勿缓；

fù mǔ mìng　　xíng wù lǎn
## 父母命，行勿懒。

### 注释

应：回应，答应。

勿：不要。

缓：迟缓，缓慢。

命：命令，吩咐。

### 译文

父母叫我们的时候，应该及时答应，不要迟缓。父母吩咐我们做事的时候，要马上去做，不要拖延偷懒。

### 知识

**"五伦"**

"五伦"是中国圣贤教育的总纲。

所谓"五伦"，是人们应该遵守的五项人际关系，即父子有亲、君臣有义、夫妇有别、长幼有序、朋友有信。其中，以"父子有亲"——"孝"为根本。

"五伦"是中国古代的人处理人与人之间伦理关系的行为准则。

fù  mǔ jiào    xū jìng tīng
# 父母教，须敬听；

fù  mǔ zé      xū shùn chéng
# 父母责，须顺承。

## 读 注释

教：教导，教诲。

须：必须，一定要。

敬：恭敬。

责：责备，责罚。

承：承担。

## 着 译文

父母教育教导我们时，要恭敬地听从。父母责备责罚我们时，要虚心地接受。

## 学 知识

### 古代的"孝廉"制度

"孝廉"是汉代时期设立的考试科目之一。

"孝廉"是指被举荐的人要孝顺父母、办事廉正的意思，中国文化以孝治天下，所以称"孝廉"。汉武帝当政时，他采纳董仲舒的建议，下诏各地每年举荐孝者、廉者各一人。于是，这种荐举就通称为"举孝廉"。"孝廉"是筛选官员最主要、最重要的科目，也是汉代政府官员的重要来源。

dōng zé wēn　　xià zé qìng

# 冬则温，夏则清；

chén zé xǐng　　hūn zé dìng

# 晨则省，昏则定。

## 读 注释

温：温暖，暖和。

清：凉，凉爽。

省：探问，请安。

定：定省，服侍父母就寝。

## 看 译文

冬天要使父母暖和，夏天要让父母清爽凉快。早晨起床后要向父母请安，晚上入睡前要服侍父母就寝。

### 学知识 古代四季的划分

在距今三千多年的甲骨文字中，已有"季""春""秋"等字样了，说明那个时候人类已经有了四季划分。

我国古代四季的划分通常采用二十四节气和农历两种标准。

二十四节气中的立春、立夏、立秋与立冬各自为春、夏、秋、冬四季的开始。

农历中的1～3月为春季，4～6月为夏季，7～9月为秋季，10～12月为冬季。因为正月初一是全年的头一天，也是春天的头一天，所以又叫春节。

chū bì gào　　fǎn bì miàn
# 出必告，反必面；

jū yǒu cháng　　yè wú biàn
# 居有常，业无变。

## 注释

反：同"返"，返家。

面：当面报平安。

常：有一定的规律。

业：职业，做事。

无变：不随意变动。

## 译文

外出时要禀告父母，回来后要当面报平安。生活起居要有一定的规律，做事要有常规，不随意变动。

### 起居有常

起居，主要指作息，也包括平常对各种生活细节的安排。我国医学认为，人的长寿原因之一，就是"起居有常"。

《黄帝内经》中说：一年分成四个季节：春、夏、秋、冬，而人体也对应着四季的变化，表现出生、长、收、藏四种形式。即天亮时人体的生气开始活跃，是"生"；中午生气最旺，是"长"；太阳偏西时人体生气开始收敛，是"收"；日落之后生气开始潜藏，是"藏"。

制定符合这个要求的作息制度并养成习惯，对人的身体健康会有一定的积极意义。

shì suī xiǎo　　wù shàn wéi
# 事虽小，勿擅为；
gǒu shàn wéi　　zǐ dào kuī
# 苟擅为，子道亏。

## 注释

擅：擅自。

苟：如果，假如。

子道：子女应该做的。

亏：损坏。

## 译文

　　虽然事情很小，但也不要擅自主张去做。如果擅自去做，就有失做子女的本分了。

## 故事

### 刘备教子

　　三国的时候，刘备临死时，对儿子刘禅不放心，除了把他托付给丞相诸葛亮，还给他写下了一封信来教育他。信中说："勿以恶小而为之，勿以善小而不为。惟贤惟德，能服于人。"意思是说，不要认为坏事较小就去做，不要以为好事较小就不去做，只有品德良好才能让人信服。

　　后来，刘禅在诸葛亮的辅佐下，蜀国还没有出现大的失误。诸葛亮死后，刘禅开始宠信宦官，逐渐放纵自己，终致蜀国被曹魏灭掉，自己也成了俘虏。

wù suī xiǎo　　wù sī cáng
# 物虽小，勿私藏；

gǒu sī cáng　　qīn xīn shāng
# 苟私藏，亲心伤。

## 注释

私：私自。

藏：占为己有。

伤：伤心。

## 译文

虽然物品很小，也不要私自占为己有。如果私自占为己有，品德就有缺失，父母知道了一定很伤心。

## 知识

### 古代的偷、盗、窃

中国古代的汉字，每个字有每个字的含义，划分很细，现代人很容易误读。

偷：趁人不备地拿人东西，偏向于秘密地，不想被人知道。古体字"偷"有偷情、私通的意思。

盗：与偷相似，但还有骗取、谋取的意思。古体字"盗"的意思是看到人家的东西就贪婪地流口水，存心不善。

窃：通过不合法、不合理的手段取得。古体字"窃"的意思是虫在穴中偷米吃。

# 亲所好，力为具；

# 亲所恶，谨为去。

## 读 注释

好：喜好，喜欢。

力：尽力。

具：准备，置办。

恶：讨厌，不喜欢。

谨：谨慎，小心。

去：去除。

## 看 译文

　　凡是父母所喜欢的东西，（做子女的）应该尽力去提供。凡是父母所厌恶的东西，应该谨慎地去除。

## 品 故事

### 郯子奉亲

　　周朝的时候，有一个人叫郯子，对待父母非常孝顺。

　　父母的年纪大了，身体不好，眼睛也看不见东西了。郯子听说鹿乳对恢复视力有好处，就决定想方设法取得鹿乳。但鹿是很警觉的动物，连猎人都很难接近它，所以，郯子每次设法靠近鹿，都失败了。

　　后来，郯子终于想出一个办法，他买了一张鹿皮，披在身上混进了鹿群。他耐心地靠近母鹿，挤了一些鹿乳，拿回去侍奉双亲。

　　有一次，就在他接近鹿群的时候，有一个猎人瞄准了他，这时他连忙喊："我是人，不是鹿。"猎人很迷惑，问："你为什么要扮成鹿呢？"郯子回答："我听说鹿乳对眼睛有好处，我的双亲眼睛有疾，所以，我才想出了这个办法。"猎人听了以后十分感动，于是便告诉了大家。从此，郯子鹿乳奉亲的故事也传遍了天下。

　　　　　　　　"六亲"指哪些人

　　关于"六亲"，历代说法不一，大致有以下几种：

　　（1）指父子、兄弟、姑姊、甥舅、婚媾、姻娅。

　　（2）指父、母、兄、弟、妻、子。

　　（3）指父、子、兄、弟、夫、妇。

　　（4）指父子、兄弟、姑姊、甥舅、妻子的家属、丈夫的家属。

　　其中最常见的是第二种。

shēn yǒu shāng    yí qīn yōu
# 身有伤，贻亲忧；
dé yǒu shāng    yí qīn xiū
# 德有伤，贻亲羞。

## 读 注释

伤：损伤，受伤。

贻：招致。

忧：担忧。

羞：蒙羞。

## 看 译文

如果身体受到了创伤，就会让父母为我们担扰。如果德行上有了缺失，就会连累父母蒙羞。

## 品 故事

### 董卓的失败

东汉末年，军阀割据，董卓便是军阀中的一个。他带领军队来到国都，废掉了皇帝刘辨，另立刘协为傀儡皇帝，从此独揽朝政，掌握着京都的所有兵权。

董卓专权期间，对朝廷中的大臣肆意杀戮，没有一个大臣敢与他争论；对天下的百姓任意欺凌，百姓们怨声载道。

后来，董卓的暴行引起了人们的愤怒，关东诸侯联盟讨伐董卓。董卓眼看大势已去，便挟持了天子迁都长安，临走时把洛阳宫殿焚烧殆尽，甚至还挖掘陵墓，搜罗财宝，一代名城便毁在了他的手里。

朝中大臣王允看不下去了，便联合前朝的官员，利用美人计诱使吕布，杀死了董卓。

董卓的恶行使他的家族也受到了牵连，连年迈的父母也没能幸免，当时他的母亲已经九十多岁了，也被依法处死。

《孝经》

《孝经》是中国古代儒家的著作。经清代学者纪昀的考证，认为是孔子的门徒所作，成书年代为秦末汉初。

《孝经》以孝为中心，比较集中地阐述了儒家的伦理思想。它肯定"孝"是上天所定的规范，认为一个人如果不孝，便丧失了做人的资格，"孝"是所有道德的源泉。

《孝经》首次将"孝"与"忠"联系起来，认为"忠"是"孝"的发展和扩大，认为下属对上级的"忠"是"孝"的延续，为中国封建王朝的专制统治提供了理论基础。

qīn ài wǒ　　xiào hé nán

# 亲爱我，孝何难；

qīn wù wǒ　　xiào fāng xián

# 亲恶我，孝方贤。

## 注释

亲：父母。　　　　　　　恶：厌恶。
方：才。　　　　　　　　贤：贤德。

## 译文

当父母爱我、关心我的时候，孝敬他们有什么难呢？当父母憎恶、讨厌我的时候，我还能尽孝道，这才是贤德。

## 故事

### 闵子骞芦衣顺母

闵子骞是春秋时期鲁国人。他很小的时候，母亲就死了。尽管后母对他不好，还经常虐待他，但闵子骞还是像孝敬生母一样地孝敬她。

后母做棉袄的时候，给自己亲生的两个儿子用的是新棉花，给闵子骞用的却是芦花。一天，闵子骞驾着马车跟父亲和两个弟弟出去办事，因为天气太冷，闵子骞手脚冰冷，一不留神鞭子掉在了地上。父亲大声地责骂他，还捡起鞭子抽打他，芦花从打破的衣缝里飞了出来。他的父亲脸色立刻变了。摸摸两个小儿子的手，都是暖乎乎的，再摸闵子骞的手，却很冰凉。

父亲回到家就要把妻子休掉。闵子骞跪在地上说："父亲留下母亲，只有我一个受冻；若是休掉了母亲，我们三个都要受冻了啊。"

父亲听了十分感动，就依了他。后母听后，悔恨知错，从此再也不虐待闵子骞了。

学知识

### 《二十四孝诗》前三孝

第一孝

舜帝躬耕历山下，仓火井填两逃生；

恭父慈弟德报怨，孝感动天象鸟耕。

第二孝

文帝刘恒薄后生，母病三年夜不眠；

亲尝汤药母服安，文景之治德义结。

第三孝

曾参孔子得意生，少贫入山打柴来；

客到母咬己手指，心知母唤跪问缘。

亲有过，谏使更；
qīn yǒu guò　　jiàn shǐ gēng

怡吾色，柔吾声。
yí wú sè　　róu wú shēng

## 注释

过：过错。

更：改变。

吾：我。

谏：劝说，规劝。

怡：和悦，快乐。

柔：柔和。

## 译文

　　如果父母有了过错，子女应当劝说他们改正；劝说的时候，脸色一定要和悦，说话一定要柔和。

## 故事

### 孙元觉劝父

　　春秋时，有个叫孙元觉的孩子，十分孝顺长辈，可他的父亲对祖父却极不孝顺。

　　有一天，父亲要把病弱的祖父扔到深山里去。孙元觉哭着跪倒在父亲面前，恳求他不要这样做。可是父亲却哄骗他说："爷爷年老了，年老不死会变成妖怪的。"

　　孙元觉无奈，只能跟父亲抬着爷爷来到山里。走到深山之后，父亲把爷爷放下就要离开，可孙元觉却一声不吭地拿起抬爷爷的竹筐，还表现得很爱惜的样子。父亲不明白他的意思，就问："竹筐留着也没什么用了，你怎么还要拿回去呢？不如扔在这里吧。"孙元觉说："怎么会没有用呢？等到你老了，就能用上它了。"

父亲一听，大吃一惊，最终改变主意，又把爷爷接回了家。从此以后，父亲对祖父孝顺万分，也对儿子刮目相看了。

### 古代的"进谏"

在古代，进谏是臣民、部属规劝君主、尊长，使其改正错误的重要方法。由于在封建社会中，君主、尊长位高权重，对臣民、部属有着生杀予夺之权，所以，进谏就需要一定的技巧。一旦进谏失败，好则不采用，坏则招来杀身之祸。

古代著名的谏臣有：商代的比干，汉代的汲黯，春秋时期的邹忌、弦章，唐初的魏徵，唐中期的狄仁杰等。

jiàn bú rù    yuè fù jiàn
# 谏不入，悦复谏；
háo qì suí    tà wú yuàn
# 号泣随，挞无怨。

## 注释

入：采纳，接受。　　悦：高兴。

复：再次。　　　　　号：大声哭号。

挞：鞭挞。

## 译文

如果父母仍然不接受劝说，就等父母高兴的时候再劝。如果还是不听，就哭泣恳求，就算被打也毫无怨言。

## 故事

### 李世民哭谏追师

隋唐之际，李世民的父亲李渊率军东征西讨，儿子李世民是他手下最重要的将领。

当时，李渊在太原担任太守，要去进攻一个叫宋老生的人，可就在这一仗刚要打的时候却下起了连绵阴雨，一时间道路泥泞，很难行军。这时又传来一个消息，说李渊的劲敌刘武周准备抄李渊的后路。于是，李渊决定赶快出击，打败宋老生，稳定军心。

但李世民却认为刘武周会很快赶到，到时候前有追兵，后有埋伏，最后一定会失败的。李渊不听，断然拒绝了李世民的劝谏。李世民劝谏了几次，李渊都不听。

　　出征的命令马上就要下达了。情急之下，李世民来到李渊住的帐篷门口，在帐篷外面号啕大哭，哭声震天，一下子把李渊哭醒了。李世民通过最后一次努力，让李渊接受了自己的建议，退回太原，以逸待劳。

　　后来历史证明，李世民的这个建议是对的。

### 古人进谏的艺术

　　中国古代臣子进谏是否成功，不光要看君主是否虚心接受，更要看臣子进谏的艺术如何。一般来说，成功的进谏有以下几种方式。

　　（1）引君注意：善用比喻，勾起被劝人的兴趣；

　　（2）婉言相告：利用对方观点的内在矛盾，表达自己的意见；

　　（3）善于肯定：先肯定别人的立场，争取认同，再加以游说；

　　（4）分析利弊：辨清事情之本末先后，晓之以理；

　　（5）换位思考：站在对方的立场思考，准备好解决方案；

　　（6）赢得信任：建立长期互信基础，便能无往而不利。

qīn yǒu jí   yào xiān cháng
# 亲有疾，药先尝；
zhòu yè shì   bù lí chuáng
# 昼夜侍，不离床。

**讀 注释**

疾：疾病。
侍：侍候。

**看 译文**

父母生病了，熬的药应自己先尝一尝，看是否太烫了。一旦病重，就应日夜侍奉在床边，一步也不离开。

**品 故事**

## 汉文帝侍母

汉朝时，汉文帝虽然贵为皇帝，却很孝顺自己的母亲。每天不管公务多忙，他都要去母亲房间请安。

有一次，汉文帝的母亲病了，他日夜精心服侍，一步也不离开母亲床前，从未睡过一个安稳觉。每天母亲吃药时，他都要亲口尝一尝，唯恐太苦、太烫。人们常说"久病床前无孝子"，但汉文帝侍奉母亲却长达三年之久，他的故事被传为千古佳话。

汉文帝重德治，兴礼仪，他与汉景帝的统治时期被誉为"文景之治"。

sāng sān nián　　cháng bēi yè
## 丧三年，常悲咽；

jū chù biàn　　jiǔ ròu jué
## 居处变，酒肉绝。

### 注释

丧：守丧。

咽：悲伤地说不出话来。

变：调整。

绝：杜绝，禁绝。

### 译文

　　父母去世后，要守丧三年，守丧期间，因为思念父母而常常悲伤哭泣。自己的起居生活必须调整改变，不能贪图享受，应该禁绝酒肉。

### 故事

#### 闻雷泣墓

　　战国时魏国有一个学者，名叫王裒，他对父母特别孝顺。王裒的母亲十分胆小，特别惧怕雷声。一旦打雷，王裒总是跑到母亲身边给其壮胆。母亲去世后，王裒把她埋葬在山林中寂静的地方。一到刮风下雨打雷的天气，王裒就立即跑到母亲坟前，跪拜并哭着告慰说："裒儿在这里，母亲不要害怕啊！"

sāng jìn lǐ   jì jìn chéng

# 丧尽礼，祭尽诚；

shì sǐ zhě   rú shì shēng

# 事死者，如事生。

## 注释

尽：完全按照。

事：侍奉，对待。

## 译文

办理丧事要按照礼仪，祭祀要诚心诚意。对待死去的父母，要像他们活着的时候一样。

## 故事

### 孝子蔡邕

东汉的文学家蔡邕是一个出名的孝子。他每天早晚都向父母请安问候。父母的生活起居，都照顾得非常周到。

父亲去世后，后来母亲也得了重病，在床上一躺就是三年。蔡邕心中非常难过，总是在母亲床前殷勤服侍，而且为母亲洗马桶不厌其烦。看到母亲将不久于人世，蔡邕无心学习了，连衣服也不换洗，日夜守候在母亲床前，直到她去世。

埋葬母亲之后，蔡邕哭倒于坟前不愿回家。之后，他叫仆人在坟墓旁搭了个小房子，自己住在那里，继续守墓，以表达对母亲的怀念之情。

# 出则弟

xiōng dào yǒu　　dì dào gōng
## 兄道友，弟道恭；

xiōng dì mù　　xiào zài zhōng
## 兄弟睦，孝在中。

## 注释

道：应遵行的道德原则。　　友：友爱亲近。
睦：和睦相处。　　中：其中。

## 译文

　　哥哥姐姐要爱护弟弟妹妹，弟弟妹妹也要尊敬哥哥姐姐。兄弟姐妹之间能和睦相处，这其中就体现了孝道。

## 故事

### 孔融让梨

　　孔融是东汉时期的人，是历史上著名的文学家。他有六个兄弟。据说他四岁时，就懂得谦让。有一天，父亲请他们兄弟几个吃梨，哥哥们都拥到了桌子边，只有孔融在一旁等着。父亲让孔融先挑，他走到筐边，拿了个最小的梨。父亲问："你为什么拿最小的？"孔融说："大的应该给哥哥们吃。"父亲又问："可你也是哥哥呀？"孔融又答："弟弟小，我应该让给他呀。"长大后，孔融仍然保持谦让的高尚品德，成了深受百姓爱戴的好官。

cái wù qīng  yuàn hé shēng
# 财物轻，怨何生？

yán yǔ rěn  fèn zì mǐn
# 言语忍，忿自泯。

## 读 注释

轻：看轻、轻视。　　　　忍：忍让。

忿：怨恨。　　　　　　　泯：消除，化解。

## 看 译文

　　如果能把财物看得轻一些，怨恨从何而生呢？如果说话时能互相忍让一些，怨恨就自然消除了。

## 品 故事

### 天下第一家

　　明朝有一位著名的人物叫郑濂，他家里是七代同堂。明太祖朱元璋听说他们家七代同堂，一千多口人却从来不吵架，就非常想不通。于是，他把郑濂召来，问："你的家人和睦相处，有什么秘诀吗？"郑濂回答："其实也没有什么，就是不听闲话，不传闲话，言语不合就忍一忍。"朱元璋一听，说："很好很好，来，领赏。"于是，派左右拿来两个梨，赏给了郑濂。

　　郑濂回到家里，举着两个梨说："今天皇上赏了我们家两个梨。"然后把赏梨的来龙去脉说清楚了。说完，他又叫人搬来一口大缸，打来一缸水，把梨捣碎了泡在缸里，一千多口人每人喝了一碗梨汤。

朱元璋派去的校尉看到这一幕后，就回去禀告给了朱元璋。朱元璋听了，说："佩服佩服，这个家长绝对没有私心。"他一高兴，就封这一家为"天下第一家"。

## 知识 抱怨的危害

抱怨是一种负面情绪，如果一个人每天都去抱怨，那么这个人将一事无成。具体来讲，抱怨有以下几种危害。

（1）抱怨使人变得懦弱。抱怨的人只会在口头上逞一时之快，却不会付诸行动。

（2）放弃自我成长。抱怨是在开脱责任，寻找借口，使自己放弃改善的机会。

（3）形成思维定式。抱怨过多的人，就会禁锢在自己的世界里，遇到问题就消极思考，寻找别人的毛病。

（4）破坏人际关系。抱怨的人，总想让别人按照自己的要求改变，其实这只能事与愿违，越来越让人反感和不可接受。

huò yǐn shí　　huò zuò zǒu

# 或饮食，或坐走，

zhǎng zhě xiān　　yòu zhě hòu

# 长者先，幼者后。

**读 注释**

或……或……：不论……还是……

**看 译文**

不论是喝水、吃饭，还是就座、行走时，都应该长幼有序，让年长者在先，年幼者在后。

---

**学知识**

### "礼"的发展

中国古代的礼仪形成于"三皇五帝"时期，那时分成了五种礼制，即吉礼、凶礼、军礼、宾礼、嘉礼。

到了周朝，经过周文王等的完善，"礼"已经相对完备，那时还设置了"礼官"。

春秋时期，孔子将"礼"推到了至高无上的地位，要求人人都学"礼"。

汉武帝时期，"罢黜百家，独尊儒术"，礼仪被作为社会的行为标准之一。从此以后，历朝历代都推崇"礼"的遵守，"礼"已经成为了社会制度的一部分。

zhǎng hū rén　　jí dài jiào

# 长呼人，即代叫，

rén bú zài　　jǐ jí dào

# 人不在，己即到。

**读 注释**

长：长辈。
呼：呼唤。
即：立即。
代：替代。

**看 译文**

　　遇到长辈呼唤人，就要立即去代为传唤。如果被叫的人不在，就应迅速去问长辈有什么事情。

**学 知识**

| 古代各年龄段的称呼 | | | |
|---|---|---|---|
| 称呼 | 年龄 | 称呼 | 年龄 |
| 襁褓 | 不满周岁 | 而立之年 | 三十岁 |
| 黄口 | 婴儿 | 不惑之年 | 四十岁 |
| 孩提 | 二三岁 | 知天命之年 | 五十岁 |
| 垂髫 | 幼年 | 耳顺（花甲） | 六十岁 |
| 总角，束发 | 幼年、童年 | 古稀之年 | 七十岁 |
| 豆蔻年华 | 女子十三四岁 | 耄耋之年 | 八九十岁 |
| 及笄之年 | 女子十五岁 | 期颐之年 | 百岁 |
| 弱冠 | 男子二十岁 | | |

chēng zūn zhǎng　　wù hū míng

# 称尊长，勿呼名；

duì zūn zhǎng　　wù xiàn néng

# 对尊长，勿见能。

## 讀 注释

见能：逞能，炫耀。

见：同"现"，指卖弄、炫耀。

## 着 译文

称呼长辈，不能直接称呼他们的名字。在长辈面前，不可以炫耀、逞能。

---

### 学知识　　古代"敬称"面面观

（1）对帝王的敬称有万岁、圣上、圣驾、天子、陛下等。

（2）对皇太子、亲王的敬称是殿下。

（3）对将军的敬称是麾下。

（4）对有一定社会地位的人称阁下。

（5）对对方或对方亲属的敬称有令、尊、贤等。

（6）对尊长者和用于朋辈之间的敬称有君、子、公、足下、夫子、先生、大人等。

（7）对已死去的祖辈的敬称前加"先"。

lù yù zhǎng　jí qū yī
# 路遇长，疾趋揖；
zhǎng wú yán　tuì gōng lì
# 长无言，退恭立。

## 读 注释

**疾趋**：快步向前。
**无言**：没有吩咐。
**恭**：恭敬。

## 看 译文

在路上遇到长辈时，要快步上前，行礼问候。如果长辈没什么吩咐，就退到一旁，等长辈离去。

### 学知识　　　　"揖"礼

长揖是拱手礼之一，不过这是一种不分尊卑的见面礼，有时也用在略微比自己尊贵的人。行礼时，立正身略俯折，双手合抱举，自上至下，引至胸前则止。

揖让是古代宾主相见的礼节。揖让之礼按尊卑分为三种，称为三揖：一为土揖，专用于没有婚姻关系的异姓，行礼时推手微向下；二为时揖，专用于有婚姻关系的异姓，行礼时推手平而至于前；三为天揖，专用于同姓宾客，行礼时推手微向上。

qí xià mǎ　　chéng xià chē
# 骑下马，乘下车；
guò yóu dài　　bǎi bù yú
# 过犹待，百步余。

## 注释

过：过去。

犹：还要。

待：等待。

## 译文

外出遇到尊长时，要立即下马下车。等尊长走过百步以后，自己才能再动身。

## 故事

### 卫玠倾城

晋朝的时候，有个叫卫玠的年轻人，他长得特别漂亮。每次出行，洛阳居民都全城出动，追着他看。有一个叫王济的人长得也很漂亮，可是和卫玠一比，就差远了。王济心里很嫉妒，就对别人说："卫玠不过是外貌漂亮罢了，其实是个大草包！"只要卫玠出门，他都会跟在后面，试图找出卫玠的缺点。

这一天，卫玠和往常一样出门，路上正好遇见老师，卫玠立刻跳下马车，然后快步走上前去，一躬到地，向老师问好。老师和他说话的时候，卫玠都恭恭敬敬地回答；

老师走的时候，卫玠还一直恭恭敬敬地目送。直到老师走远后，他才坐上车继续前行。

王济看到这一切，感叹地说："卫玠不但外表漂亮，而且知礼，我真的不如他啊！"

### 三叩九拜

学知识

三叩：跪下叩头，就是身体不起来，而头在地面，用头叩触地面三次。叩有敬佩的意思。

九拜：《周礼》上讲："九拜，一曰稽首，二曰顿首，三曰空首，四曰振动，五曰吉拜，六曰凶拜，七曰奇拜，八曰褒拜，九曰肃拜。"拜有奉献、献身的意思。

zhǎng zhě lì　yòu wù zuò

# 长者立，幼勿坐；

zhǎng zhě zuò　mìng nǎi zuò

# 长者坐，命乃坐。

## 讀 注释

立：站立。

命：命令、吩咐。

乃：才。

## 看 译文

　　长辈如果站着，晚辈不能先坐下。要等长辈坐下后，吩咐坐下才可以坐。

---

### 古时的官场座次

　　古时官场座次尊卑有别，十分严格。官高为尊居上位，官低为卑处下位。古人尚右，以右为尊，"左迁"即表示贬官。

　　古人常把称王称帝叫作"南面"，称臣叫作"北面"。在室内，最尊的座次是坐西面东，其次是坐北向南，再次是坐南面北，最卑是坐东面西。例如《鸿门宴》中有这样几句："项王、项伯东向坐，亚父南向坐……沛公北向坐，张良西向侍。"项王座次最尊，张良座次最卑。

zūn zhǎng qián　　shēng yào dī

# 尊长前，声要低，

dī bù wén　　què fēi yí

# 低不闻，却非宜。

## 注释

闻：听到。

非：不。

宜：合适。

## 译文

在尊长面前讲话，声音要低一些。但声音太小，让人听不清楚，却也是不合适的。

## 故事

### 程门立雪

宋朝时，有个叫杨时的年轻人，不仅很有学识，而且尊师懂礼，很受大学者程颐的欣赏。

一天，大雪飘飞，杨时和游酢去拜见老师程颐，正巧赶上程颐在屋子里休息。游酢刚要上前敲门，杨时拦住了他，示意他不要打搅老师休息，于是，两个人便恭敬地站在门外，等程颐醒来。

过了很久，程颐终于醒了，这时门外的积雪已经一尺多厚了，然而杨时和游酢却仍旧站在风雪里，没有一丝不耐烦的神情。程颐看到后深受感动，就把自己一生所学的知识都教给了这两位学生。

jìn bì qū    tuì bì chí
# 进必趋，退必迟；

wèn qǐ duì    shì wù yí
# 问起对，视勿移。

## 注释

进：上前。　　　　　　　趋：快步。

迟：慢慢地。　　　　　　起：站起来。

对：回答。　　　　　　　视：视线。

移：换位置。

## 译文

　　要到尊长面前时，应快步上去；告退时，要慢慢退出。长辈问话时，要站起来回答，眼睛看着长辈，不要东张西望。

### 《礼记》

　　《礼记》是中国古代一部重要的典章制度之书，是儒家的经典之一。该书是由西汉礼学家戴德和他的侄子戴圣编订的。

　　戴德选编的85篇本叫《大戴礼记》，唐代只剩下了39篇。

　　戴圣选编的49篇本叫《小戴礼记》，即我们今天见到的《礼记》。

　　东汉末年，著名学者郑玄为《小戴礼记》做了出色的注解，后来这个本子便盛行不衰，并由解说经文的著作逐渐成为经典，到唐代被列为"九经"之一，到宋代被列入"十三经"之中。

shì zhū fù　　rú shì fù
# 事诸父，如事父；

shì zhū xiōng　　rú shì xiōng
# 事诸兄，如事兄。

## 注释

诸父：伯父、叔叔。

如：像。

诸兄：同族的兄长，包括堂兄、表兄。

## 译文

对待自己的叔叔伯伯，要像对待自己的父亲一样。对待同族的兄长，要像对待自己的兄长一样。

## 家谱

家谱，又称族谱、谱牒、家乘、祖谱、宗谱等，是一种以表格的形式，记载本家族的传代、繁衍情况以及相关事迹的书。

家谱与国史、方志并列为中国史学的三大支柱，是一种特殊的文献资料。就其内容来说，是中华五千年文明史中最具有平民特色的文献，它记载着家族中每个成员之间的亲疏远近，同时也对当时的时代、家族的迁徙进行了详尽的记录，属于珍贵的人文资料，对人口学的研究有着不可替代的功能。

家谱一般30年一小修，60年一大修，从祖上传下来的家谱除了留出一套来备案，其余的都要销毁，这是大部分家族的家规之一。

# 谨

zhāo qǐ zǎo  yè mián chí
## 朝起早，夜眠迟；

lǎo yì zhì  xī cǐ shí
## 老易至，惜此时。

## 注释

朝：早晨，清晨。　　　　眠：睡觉。
易：容易。　　　　　　　至：到来。

## 译文

早晨要早起，晚上要迟睡。人生短暂很快就从少年到了老年，所以，要珍惜此刻宝贵的时光。

## 故事

### 温公警枕

司马光是北宋时期著名的政治家、史学家和文学家，人们又称他司马温公。他从小聪明过人，被誉为神童，但他从不骄傲，学习十分勤奋。

司马光奉旨编写《资治通鉴》时，用圆木做了一个枕头，取名"警枕"，意在警惕自己，切莫贪睡。用这个枕头睡觉，很不舒服，只要稍一动弹，"警枕"就会翻滚，于是，他立刻就坐起来，继续发愤著述。就这样，他花费了十九年的时间，完成了《资治通鉴》这部三百多万字的巨著，为后世做出巨大贡献。这部穷尽其一生精力，耗费其一生心血的著作，记载了一千三百多年的历史，上起战国、下止五代，历代兴亡，善可为法，恶可为鉴，不仅为后代皇帝治国提供了经验和事例借鉴，也为全社会提供了一笔知识财富。

司马光如此勤奋好学，使得他学识渊博，在事业上取得了巨大的成就。"温公警枕"的故事成为激励后人学习的好例子。

**知识** **十二时辰**

在古代，人们将一昼夜24小时分为十二个时辰，与十二个地支相对应。

| 子时 | 夜半 | 23：00 ~ 1：00 | 午时 | 日中 | 11：00 ~ 13：00 |
|---|---|---|---|---|---|
| 丑时 | 鸡鸣 | 1：00 ~ 3：00 | 未时 | 日昳 | 13：00 ~ 15：00 |
| 寅时 | 平旦 | 3：00 ~ 5：00 | 申时 | 晡时 | 15：00 ~ 17：00 |
| 卯时 | 日出 | 5：00 ~ 7：00 | 酉时 | 日入 | 17：00 ~ 19：00 |
| 辰时 | 食时 | 7：00 ~ 9：00 | 戌时 | 黄昏 | 19：00 ~ 21：00 |
| 巳时 | 隅中 | 9：00 ~ 11：00 | 亥时 | 人定 | 21：00 ~ 23：00 |

chén bì guàn　　jiān shù kǒu

# 晨必盥，兼漱口；

biàn niào huí　　zhé jìng shǒu

# 便溺回，辄净手。

## 注释

盥：洗脸，洗手。
兼：还要。
便溺：大小便。
回：后。
辄：就。

## 译文

清晨起床后，必须洗脸洗手，还要刷牙漱口。大小便后，要立即把手洗干净。

### 知识

**古代的厕所**

先秦的厕所很简陋，公元前581年，晋景公突觉肚胀，去厕所，不慎掉进粪坑而死。这是历史上第一个殉难于厕所的君主。由此，也暴露了先秦时期宫厕的简陋，民厕便更不用形容了。那时的官厕所被称为圂、溷、清、圊、偃、屏、厕等。

汉代以后，官员们大多用便壶、便器充当厕所的职能，唐代有了马桶、更衣室和尿壶，而在民间，人们大多称厕所为茅厕、毛司、茅房、茅坑等。

guān bì zhèng niǔ bì jié
# 冠必正，纽必结，
wà yǔ lǚ jù jǐn qiè
# 袜与履，俱紧切。

## 读 注释

冠：帽子。

结：扣好。

俱：都要。

纽：纽扣。

履：鞋。

紧切：牢牢系好。

## 译 译文

帽子一定要戴端正，衣服纽扣要扣好。袜子和鞋子要穿整齐，鞋带要牢牢系好。

## 品 故事

### 结缨而死

孔子的学生子路是一个非常讲究仪表的人。这一年，卫国发生了内乱，正在国外的子路听说以后，急忙往回赶。有人劝他："现在国中十分危险，回去了很可能会遭受灾祸。"子路说："拿了国家的俸禄，就不能躲避祸难。"进城以后，子路竭力帮助国君平叛，但还是因寡不敌众，被敌人的武士击中，帽子上的缨带也被斩断了。子路知道自己难逃一死，立即停止了搏斗，说："君子虽死，但不能让帽子脱落而失礼。"于是，从容地系好缨带而死。

zhì guān fú　　yǒu dìng wèi

# 置冠服，有定位，

wù luàn dùn　　zhì wū huì

# 勿乱顿，致污秽。

## 注释

置：放置。

定位：固定的位置。

顿：放置，安置。

致：导致。

污秽：脏。

## 译文

帽子和衣服，要放在固定的位置。不要乱扔乱放，以致把衣帽弄脏。

---

### 古代的冠礼

冠礼是古代汉族男子的成年礼。

成年礼起源于原始社会，表示男女青年到一定年龄，身体已经成熟，可以婚嫁，并从此作为氏族的一个成年人，参加各项活动。

成年礼（男子称为"冠礼"，女子称为"笄礼"）必须由氏族长辈依据传统为青年人举行一定的仪式，才能被承认。根据《周礼》，男子在20岁行冠礼，女子在15岁行笄礼。

yī guì jié　　bú guì huá
# 衣贵洁，不贵华；

shàng xún fèn　　xià chèn jiā
# 上循分，下称家。

## 諵 注释

洁：整洁。

华：华丽，华贵。

循：遵循，符合。

分：身份，等级。

称：相称，合适。

## 看 译文

　　穿衣服贵在整洁大方，不必追求昂贵华丽。同时要符合自己的身份，还要与自己的家境相称。

### 古代服饰的代称

学知识

　　因为古代有着严格的制度约束，所以，人们的服饰就有很明显的特性，显示了穿着者的尊卑贵贱或性别职业。

（1）布衣：麻布衣服，借指平民。

（2）白丁：古代平民着白衣，所以，常以"白丁"称呼平民百姓。

（3）白袍：指未得功名的士人。

（4）乌纱帽：官员的代称。

（5）巾帼：特指妇女。

（6）青衣：特指婢女。

（7）黄裳：表示尊贵，太子的别称。

duì yǐn shí　　wù jiǎn zé
# 对饮食，勿拣择；
shí shì kě　　wù guò zé
# 食适可，勿过则。

## 注释

拣择：挑挑拣拣。
过：超过。
则：规则，量度。

## 译文

对待饮食，不要挑挑拣拣。吃东西要适可而止，不要过量。

## 故事

### 郑浣饮食观人

唐代有一个文学家叫郑浣，他虽在朝廷当大官，但他的生活却很简朴，特别是对饮食，从不挑挑拣拣。

有一次，他的远房孙辈来找他，于是郑浣问："我有什么可以帮你的吗？"这个孙辈说："我常年在家乡种地，做老百姓，我想当一名县尉，这样我就可以衣锦还乡，光宗耀祖。"郑浣见他很有上进心，便写了一封信，想把他介绍给某个地方的县令，看能不能给他安排一个职位。

送行的那天晚上，郑浣请他吃饭，没想到他把馅饼的外皮给撕了，掏出里面的馅吃掉，把外皮扔在一边。郑浣看到后非常生气，说："你怎么如此奢侈浪费？一点淳朴的习惯都没有！我以为你很质朴，没想到你像纨绔子弟一样浮华。"这个孙辈害怕了，手一哆嗦，把剩下的食物也掉在了地上。郑浣看后，捡起来擦了擦，把东西吃干净了。

第二天，郑浣就打发人把他送回了家，认为他不堪重任。

## 孙思邈养生十三法

"药王"孙思邈是一个上寿之人，据说他活了141岁。他是如何获得长寿的呢？原因之一就是他每天都做"养生十三法"：

（1）发常梳；（2）目常运；（3）齿常叩；（4）漱玉津；（5）耳常鼓；（6）面常洗；（7）头常摇；（8）腰常摆；（9）腹常揉；（10）摄谷道；（11）膝常扭；（12）常散步；（13）脚常搓。

nián fāng shào　wù yǐn jiǔ
# 年方少，勿饮酒；
yǐn jiǔ zuì　　zuì wéi chǒu
# 饮酒醉，最为丑。

## 注释

年：年龄。

方：还。

丑：出丑、难看。

## 译文

年纪还小时，不要饮酒。饮了酒会容易喝醉，喝醉就会出丑丢脸。

## 故事

### 齐桓公醉酒

齐桓公是春秋时期齐国的国君，有一次，他在皇宫喝酒，没想到一下子喝醉了，酒醒以后，突然发现帽子不见了。

在古代，如果一个国君丢了帽子，那就是巨大的羞耻，于是，齐恒公三天不上朝，躲了起来，任谁都找不到他。

这时，国内正闹着饥荒，各地的饥荒消息都报了上来。丞相管仲不敢做主，无奈之下，就去宫殿找齐桓公。可是齐桓公因为帽子丢了，觉得很难为情，谁都不见。于是，管仲只好下令开仓放粮，自作主张把粮食发放给了灾民，灾民们非常感谢管仲，认为遇到了一个贤相。

后来，大家都得知这一情况后，齐国就开始流行一首歌谣："国君啊国君，你的帽子何时再丢啊？你丢一次就放一次粮。"

## "酒"的称谓

（1）三酉：酒的造字是三酉，所以，"三酉"成为了酒的隐语。

（2）琼浆、琼液：指美酒，是按照酒的味道来称谓的。

（3）流霞、琥珀：指美酒，是按照酒的颜色、形状来称谓的。

（4）绿蚁、浮蚁、素蚁：指漂浮于古代酒浆中的渣滓，状若蚂蚁。

（5）杜康：因相传酒是杜康所造，所以，酒也称杜康。

（6）圣人：清酒的别称；贤人：浊酒的别称。

bù cóng róng　　　　lì duān zhèng

## 步从容，立端正，

yī shēn yuán　　　　bài gōng jìng

## 揖深圆，拜恭敬。

### 读 注释

步：走路。

揖：弯腰行礼。

拜：跪拜。

端正：抬头挺胸。

深圆：弯腰鞠躬的姿势到位。

### 看 译文

　　走路时要从容大方，站立时抬头挺胸。作揖时要把身子躬下去，跪拜时要恭恭敬敬。

### 品 故事

#### 兵部侍郎卢绚

　　唐玄宗在勤政楼设宴，宴会结束后，兵部侍郎卢绚以为皇帝已经回宫，便骑马从楼下经过。

　　卢绚容貌清秀，温文尔雅，走在路上，总是风度翩翩，仪表俊逸，与众不同。仍然在楼上垂帘观看的唐玄宗被他的风度吸引了，忙问左右近臣："这人是谁？"近臣便把卢绚的姓名告诉了皇帝。

　　唐玄宗连连称赞他含蓄宽容、风度不凡。不过，也正是这一句赞美之词使卢绚遭到了奸臣林甫的陷害。

wù jiàn yù　　wù bǒ yǐ

# 勿践阈，勿跛倚，

wù jī jù　　wù yáo bì

# 勿箕踞，勿摇髀。

## 注释

践阈：踩门槛。　　跛倚：身体歪斜，站立不正。

箕踞：张开两腿而坐，形如畚箕。　摇髀：摇晃大腿。

## 译文

进出门时，脚不要踩到门槛上，不要用一条腿支撑身体斜靠。坐着时不要叉开两腿，像畚箕一样，更不要摇晃大腿。

## 故事

### 长孙俭清德流传

长孙俭，北周河南人，本名庆明。他年少时就为人端正，品德高尚，即使在自己家里，仍能整天保持端庄稳重。周文帝非常敬重他，赐他改名为俭。

后来，长孙俭当上了尚书，曾和群臣一起坐在皇帝身旁陪侍，周文帝对左右的人说："这位尊公举止沉静文雅，我每次和他说话，总会肃然起敬，深怕自己有所失态。"

荆州地区刚归服的时候，周文帝授命长孙俭统领荆州地区。因为那里是蛮荒之地，民风尚未开化，年轻人不知尊敬长辈。在长孙俭的辛勤劝导下，当地的风俗大为改观。官吏和人民上书陈请，为长孙俭建清德楼，并立碑赞颂他。

huǎn jiē lián　　wù yǒu shēng
# 缓揭帘，勿有声；
kuān zhuǎn wān　　wù chù léng
# 宽转弯，勿触棱。

## 注释

缓：慢。

揭：揭开。

棱：墙角。

## 译文

揭开门帘的时候要慢慢地，不要有声响。走路转弯的时候，角度要大一些，不要碰撞到有棱角的地方。

## 故事

### 苏嘉折辕

苏嘉是汉朝著名大臣苏武的哥哥，曾经负责给皇帝驾车。

有一次皇帝外出，苏嘉给皇帝驾车，从都城长安去往郊外的行宫。当皇帝正要下车时，苏嘉因为不小心，一下子把车辕撞到了门前的柱子上。车辕被折断了，皇帝也受到了惊吓，结果，苏嘉被判了大不敬之罪，只好自杀。

zhí xū qì　　　rú zhí yíng
## 执虚器，如执盈；
rù xū shì　　　rú yǒu rén
## 入虚室，如有人。

**注释**

执：拿。

虚：空的。

盈：满的。

**译文**

　　手里拿着空的器具，要像拿着装满东西的器具一样小心。走进没有人的房间，要像进到有人的房间一样守规矩。

**故事**

### 不欺暗室

　　蘧伯玉是春秋时期卫国的大夫，他是一个非常讲究礼仪的人。

　　有一天晚上，卫灵公和夫人在庭院中赏月，忽然听到有车马的声音，但经过王宫门口时，却没有了动静。过了一会儿，车马声又在远处响了起来。

　　在古代，臣子经过王宫门口，都应下车以表示恭敬。蘧伯玉绝不因为是在晚上，没有人看见就废弃了礼节，从这件小事上，我们可以看出蘧伯玉的谨慎和认真。

## shì wù máng　máng duō cuò
# 事勿忙，忙多错，

## wù wèi nán　　wù qīng lüè
# 勿畏难，勿轻略。

**注释**

忙：慌忙，慌张。

畏：害怕，畏惧。

轻略：轻视忽略，草率马虎。

**译文**

做事情不要慌张，一慌张就容易出差错。做事情不要害怕困难，更不要轻视忽略，草率马虎。

**故事**

## 欲速不达

顺治七年冬天，鄞县人周容想要从一个叫小港的地方进入镇海县城，他吩咐小书童捆扎了一大摞书跟随着。

这个时候，偏西的太阳已经落山，傍晚的烟雾缠绕在树头上，望望县城还有约莫两里路。于是，周容趁便问那摆渡的人："还来得及赶上南门开着吗？"摆渡的人仔细打量了小书童，回答说："慢慢地走，城门还会开着，急忙赶路城门就要关上了。"周容听了有些动气，认为他在戏弄人。

于是，他们快步赶路。忽然，小书童摔了一跤，捆扎的绳子断了，书也散乱了。小书童哭着，赶快蹲下来整理书，可是等到把书理齐捆好，前方的城门已经关了。

## 有志者事竟成

**【释义】**有志向的人，做事一定会成功。人生要自己去拼搏、去奋斗，在风雨中百折不挠勇往直前，成功属于那些坚持不懈、执着追求的人。

**【出处】**《后汉书·耿弇传》："将军前在南阳，建此大策，常以为落落难合，有志者事竟成也。"

**【近义词】**天道酬勤；苦心人天不负；只要功夫深，铁杵磨成针；愚公移山；卧薪尝胆。

dòu nào chǎng   jué wù jìn

# 斗闹场，绝勿近；

xié pì shì   jué wù wèn

# 邪僻事，绝勿问。

## 请 注释

斗闹：打斗吵闹。

邪僻：不正当的思想或行为。

## 看 译文

　　凡是打架嬉闹的场合，绝对不去靠近。凡是不正当、不合情理的事情，绝对不去过问。

## 品 故事

### 刘胜非礼勿视

　　东汉时期，有个叫刘胜的人，他为人端正，从来不管闲事。

　　有一次，刘胜和朋友杜密看见街上有两个人在打架。杜密说："我们去看看是怎么回事吧！"刘胜摇摇头："算了，我不想看，也不想知道是怎么回事。"杜密非常不屑地说："我看你就像秋天的蝉一样，遇到事情什么也不说，只会求自己平安！"

　　刘胜说："你说错了！就算我过去了，也没办法立即判断谁对谁错，而且打架本来就是不合规矩的事，双方一定都有错。别人做一些不合规矩的事，我去管，不仅会惹祸上身，还会助长这种不良风气。"

　　杜密摇摇头说："我们不是同路人，还是绝交吧！"

　　刘胜点点头，说："你不能做到'非礼勿视'，不懂得做人的基本准则，我早就打算与你绝交了。"

## "非礼"

　　《论语》中说："非礼勿视，非礼勿听，非礼勿言，非礼勿动。"

　　这句话的意思是说：不符合礼教的东西不能看，不符合礼教的东西不能听，不符合礼教的话不能说，不符合礼教的事不能做。

　　儒家提出的这四个规范，是要人从眼睛、耳朵、嘴巴、身体严格地管束自己。然而，当今社会的发展是多元化的，这四个规范已经不再适用，因为人们很难分辨是"礼"还是"非礼"，这时，就需要培养自己的辨别心。一旦会辨别了，即使看了、听了，也是无妨的。

jiāng rù mén    wèn shú cún

# 将入门，问孰存；

jiāng shàng táng    shēng bì yáng

# 将上堂，声必扬。

## 注释

孰：谁。

堂：厅堂。

存：在。

扬：提高声调。

## 译文

准备进别人家门时，应该先问谁在屋里。将要走进厅堂时，应该提高声调让里面的人知道。

## 故事

### 孟子休妻

战国时期的一天，孟子拉着妻子来到母亲面前，说要把妻子休掉。母亲很惊讶地看了看孟子，问是什么原因。

孟子生气地说："我刚才走进屋里，却发现她竟然敞着衣服坐在那里，太不守礼法了。"孟子的妻子哭着说："我一个人在屋子里，感觉有些热，就敞开衣服乘凉，没想到夫君这时会突然进来。"孟子的母亲听了，看了看孟子说："你说你的妻子不懂礼，其实你也很不懂礼，进屋子之前你也没打招呼啊。"孟子听了，恍然大悟，赶忙向妻子道歉。

rén wèn shuí　　duì yǐ míng

# 人问谁，对以名，

wú yǔ wǒ　　bù fēn míng

# 吾与我，不分明。

## 读 注释

对：回答。
名：姓名。
分明：清楚、明白。

## 看 译文

当别人问你是谁时，要回答说自己的名字。如果只笼统地回答："是我。"对方就会弄不清楚你是谁。

### 学知识 古人的"姓、名、字、号"

"姓"是一个人所属家族的代号，从一个姓中，我们能够得知他是属于哪个家族的。

"名"是社会上对个人的称呼，一般为父母所取。出于礼貌，长辈可以直呼其名，平辈或晚辈则不行。

"字"是一个人成年后，自己为自己所取的称呼，通常为平辈或晚辈呼叫。

"号"是人的别称，所以，又叫"别号"。号除了供人呼唤外，还用作文章、书籍、字画的署名。

yòng rén wù　　xū míng qiú

# 用人物，须明求；

tǎng bú wèn　　jí wéi tōu

# 倘不问，即为偷。

## 注释

用：借用。

求：请求。

倘：如果。

即：就是。

## 译文

想要借用别人的物品，必须明确提出请求。假如不问一声就拿走，这就是偷窃。

## 故事

### 盗亦有道

相传，盗跖是盗贼的始祖。

盗跖的门徒问他："做强盗也有规矩和准绳吗？"盗跖回答说："哪里会没有规矩和准绳呢？凭空就能推测屋里储藏着什么财物，这就是圣明；率先进到屋里，这就是勇敢；最后退出屋子，这就是义气；能知道可否采取行动，这就是智慧；事后分配公平，这就是仁爱。以上五样不能具备，却能成为大盗的人，天下是没有的。"

jiè rén wù　　jí shí huán

# 借人物，及时还；

rén jiè wù　　yǒu wù qiān

# 人借物，有勿悭。

## 注释

悭：吝啬、小气。

## 译文

借用他人的物品，要及时归还。别人想要借东西，有的话就不要吝啬。

## 学知识

### 礼尚往来

"礼尚往来"出自《礼记·曲礼上》，意思是在礼节上注重有来有往，指要用对方对待自己的方式去对待对方。

春秋时期，孔子在家收弟子开坛讲学，引起了鲁定公的重视，所以，鲁定公经常邀请他到宫中讲学。季府的总管阳虎经常去看望孔子，想要与他亲近，而孔子却借故不见他。

一次，阳虎特地给孔子留下一只烤乳猪，他知道孔子最讲究礼尚往来，所以，就每天在家等待孔子的到访。果不其然，孔子拎着礼物来回访了。

这便是礼尚往来的典故。

# 信

fán chū yán　　xìn wéi xiān
## 凡出言，信为先，

zhà yǔ wàng　　xī kě yān
## 诈与妄，奚可焉。

**注释**

出言：说话。　　　　诈：欺骗。
妄：胡说，乱讲。　　奚：怎么。

**译文**

　　凡是开口说话，首先要讲求诚信。说谎话，胡讲乱讲，怎么可以呢！

**故事**

## 宋濂冒雪还书

　　明朝时，有个叫宋濂的孩子，从小因家里穷，没钱买书，便总是四处借书看。

　　有一次，宋濂听说有个员外家有很多藏书，便去借书。那个员外见他是个小孩子，不愿意把书借给他，于是，就规定了一个很短的借书日期。

　　宋濂拿到书后赶忙回家，抓紧时间开始抄写，连吃饭、睡觉都顾不上。母亲劝他早些休息，他却很认真地说："明天就要把书还回去，我一定要快些抄完，抄完了再睡觉。"

第二天，外面下起了鹅毛大雪，母亲劝宋濂晚些再把书送过去，可宋濂却说："我都和人家说好了还书日期，怎么能不守信用呢？不守信用的话，下次再借，别人就不借给你了。"说完，他冒着风雪把书送还给了员外。

员外看到宋濂冒雪还书，很受感动，从此，总是把书借给宋濂看。经过这样一番苦读，宋濂终于成了一名著名学者。

### 君子一言，驷马难追

【释义】一句话说出了口，就是套上四匹马拉的车也难追上。指话说出口，就不能再收回，一定要算数。

【出处】《邓析子·转辞》："一言而非，驷马不能追；一言而急，驷马不能及。"

【近义词】言而有信；一言既出；金玉不移；君子一言，快马一鞭；驷不及舌。

huà shuō duō　　bù rú shǎo
# 话说多，不如少，

wéi qí shì　　wù nìng qiǎo
# 惟其是，勿佞巧。

## 注释

惟：只有。

是：真实的。

佞巧：花言巧语。

## 译文

　　说话说得多，不如说得少。说话要恰当无误，切合实际，一定不要花言巧语。

## 故事

### ☆ 李固言诚实为官 ☆

　　唐朝中期，有个官员叫李固言，他忠厚老实，平时不多言多语，因此，深得皇帝的信任。李固言在朝为官，始终保持自己诚实耿直的本性，不像其他官员处世那么圆滑。

　　有一次，皇帝要李固言颁布诏书，任命降职的官员王堪为太子陪读。可是，李固言捧着诏书，站立不动。皇帝问他怎么回事，他如实回答："太子是未来的大统继承人，应该由贤德的大臣陪伴，被降职的大臣不适合做太子陪读。"皇帝认为他说得有道理，但又考虑到王堪是个很有权势的老臣推荐的，现在贸然改诏，怕会引起官员间的不合。

　　但李固言的诚实却被记在了皇帝脑中，他不久就被委以重任。诚实的李固言靠自己的功绩连连高升，死后被追封为太尉。

## 一言九鼎

　　【释义】九鼎：古代国家的宝器，象征九州。形容说的话分量大，起决定作用。

　　【出处】《战国策》："三寸之舌，强于百万雄兵；一人之辩，重于九鼎之宝。"

　　【典故】战国时期，平原君与毛遂到楚国谈判，毛遂用几句话便说得楚王心服口服。回到赵国后，平原君感慨地说："毛先生一到楚国，顶得上九鼎大吕。"

　　【用法】只能用于说话有分量、起决定作用的时候。不能表示守信用，也不能用于自己。

kè bó yǔ　　huì wū cí

# 刻薄语，秽污词，

shì jǐng qì　　qiè jiè zhī

# 市井气，切戒之。

## 注释

**秽**：脏、下流。

**市井**：粗俗的意思。

**戒**：戒除。

## 译文

尖酸刻薄的话、下流肮脏的话，以及市井粗俗的习气，这些都要彻底戒除掉。

## 故事

### 说话的艺术

战国时期的服子，在言谈举止方面特别讲究礼貌。

有一天，服子去拜访一位朋友。那家人非常客气，邀请了许多朋友陪他一起游玩。有一位客人想趁机向服子请教问题。服子直率地说："你有几个不足之处。"客人一愣，说："请讲。"服子说："恕我直言，你一见我就笑嘻嘻的，这是一种轻浮的表现，这是第一；第二，交谈中，你不称我为老师，是不够尊敬我；第三，我们初次见面，交情很浅，而你谈得很深，太随便了。"服子的几句话，说得那位客人口服心服。

jiàn wèi zhēn　　wù qīng yán

# 见未真，勿轻言；

zhī wèi dí　　wù qīng chuán

# 知未的，勿轻传。

## 注释

真：真实情况。
轻：轻易。
的：确信。
传：传播。

## 译文

　　没有把事情弄清楚之前，不要随便乱说。所知道的还没有确信，不要随便乱传播。

## 故事

### 谣言不攻自破

　　直不疑是西汉时期南阳人，为人好学，不图名利，是位忠厚的长者。后来，直不疑被朝廷任命为高官。

　　可是，有些图谋不轨的人嫉妒直不疑，就诽谤他说："直不疑相貌虽好，但品行不端，与他的嫂子有不正当关系。"许多人听说后，都这样传开了。这话传到直不疑耳边时，他说："真是一派胡言，我连哥哥都没有，怎么会有嫂子呢？"

　　后来，谣言就不攻自破了。

shì fēi yí　　wù qīng nuò

# 事非宜，勿轻诺，

gǒu qīng nuò　　jìn tuì cuò

# 苟轻诺，进退错。

## 注释

宜：适合，妥当。

诺：许诺。

苟：一旦。

## 译文

不妥当的事情，不能随便许诺别人。一旦随便许诺了，做或是不做都是错的。

## 故事

### 汉景帝轻易许诺

汉景帝是我国古代著名的明君。他的母亲窦太后十分喜欢小儿子梁孝王，一直想让汉景帝把皇位传给弟弟，但汉景帝一直不愿意。

有一次，汉景帝和他的弟弟梁孝王喝酒。汉景帝喝得醉醺醺的，他拉着弟弟的手说："我死了以后，就把皇位传给你！"话说完后，汉景帝立即清醒过来，明白自己刚才说了什么。但他不愿意传位给自己的弟弟，却又无法收回刚才的话。正在左右为难之时，一个名叫窦婴的大臣帮他解了围："您死了以后，应该把帝位传给太子，怎么能传给弟弟呢？”汉景帝非常高兴，就趁机把刚才的许诺给推翻了。

汉景帝死后，梁孝王起兵谋反，他起兵的理由是：当初汉景帝曾许诺传位于他，但却言而无信。

## 古人的盟誓

盟誓就是发誓、宣誓，也称为"盟约""盟要""盟载"等，是我国古代一种独特的文化现象。

盟誓制度，是从原始社会的诅誓咒语分化出来的，因为古人对自然之神有着一种天然的惧怕或敬畏。古人的盟誓主要有以下几种：

（1）歃血为盟；

（2）对天盟誓；

（3）对物盟誓；

（4）断物盟誓。

fán dào zì　zhòng qiě shū

# 凡道字，重且舒，

wù jí jí　　wù mó hú

# 勿急疾，勿模糊。

## 注释

凡：凡是。

道字：说话。

## 译文

　　凡是说话，吐字都要清楚有力，缓缓道来，不能讲得太急，也不能讲得含糊不清。

## 故事

### 裴秀学礼

　　裴秀是西晋时期的一位大臣，从小就知道勤奋学习，从不放过任何一个机会。

　　裴秀出生于一个官僚贵族家庭，所以，家中常常有客人来访。家中每次宴请客人时，母亲总是有意让他去端饭送菜，服侍客人。裴秀也特别珍惜这样的机会。在服侍的过程中，裴秀总是言语虔诚，举止有礼，还时常借机和客人交谈几句，说话不急不缓，显得非常有教养。客人们见他如此虚心懂礼，都很喜欢他。

　　由于裴秀养成了优雅的谈吐，所以，他的名声很快就传开了。后来，他入朝做了官。

bǐ shuō cháng　cǐ shuō duǎn

# 彼说长，此说短，

bù guān jǐ　mò xián guǎn

# 不关己，莫闲管。

## 注释

彼：那个。

此：这个。

莫：不要。

闲管：管闲事。

## 译文

　　那个说长，这个说短，要仔细判断。与自己无关的闲事，不要去管。

### 慈受怀深和尚的颂诗

　　慈受怀深和尚，安徽人，俗姓夏。他十八岁游方，二十六岁到福建资圣寺，依于长芦崇信。三十七岁请住城南资福寺，学徒云集。他平时持律清严，用心于训童，其第一颂诗为：

　　莫说他人短与长，说来说去自遭殃；

　　若能闭口深藏舌，便是修行第一方。

jiàn rén shàn    jí sī qí
# 见人善，即思齐，

zòng qù yuǎn    yǐ jiàn jī
# 纵去远，以渐跻。

## 注释

善：好的行为，好的品质。

齐：看齐。

纵：即使。

跻：赶上。

## 译文

看到别人好的品行，就要想到向他们看齐。即使差距很远，也要努力，逐渐赶上。

## 故事

### 魏照学师

东汉时期，有个叫魏照的年轻人，他勤奋好学，同时也很注意向贤德的人学习品德。

当时，邻镇有个著名的学者叫郭泰，不仅学识过人，而且人品也受到大家的普遍称赞，魏照听说后，就跑去拜郭泰为师，向他学习学问和品德。

与众不同的是，别的学生只是到郭泰家去听听课，而魏照却把行李搬到了老师家，每天要和郭泰待在一起，早上晚上都不离开。过了一段时间，郭泰问魏照："别人只是来我这里听听课，为什么你却要住到这里呢？"

魏照回答说："我要向您学习的，除了学问还有做人的品德，如果不是时时刻刻在您身边，我怎能把您做人的品质都学到啊！"

经过这样的学习，魏照很快成了一名德才兼备的学者。

## 古代虚心学习的典范

**孔文子：** 原名孔圉（yǔ），是春秋时期卫国的一名大夫。他是一个谦虚好学的人，死后被赐予"文公"的谥号，孔子也曾称赞他说："敏而好学，不耻下问。"

**魏源：** 清代启蒙思想家，是近代中国"睁眼看世界"的先行者之一。他晚年弃官归隐，认为论学应以"经世致用"为宗旨，倡导学习西方先进科学技术，总结出"师夷之长技以制夷"的新思想。

**叶天士：** 清代著名的医学家。叶天士为了提高自己的医术，到金山寺去拜一名老和尚为师，最终感动了老和尚。老和尚将其毕生所学传给了叶天士。

jiàn rén è    jí nèi xǐng
# 见人恶，即内省，

yǒu zé gǎi    wú jiā jǐng
# 有则改，无加警。

## 注释

恶：不好的行为，不好的品质。　　即：立刻。
加：更加。　　　　　　　　　　　警：警惕，小心。

## 译文

看到别人不好的品行，要立刻反省自己。如果有就马上改正，如果没有则要更加警惕。

## 故事

### ▌ 改过复国 ▌

战国时期，楚国的国势日益衰弱。

大臣庄辛向楚襄王进谏说："您在宫里时，左边是州侯，右边是夏侯；出去时，鄢陵君和寿陵君又总是跟随您。这四个人只知道奢侈淫乐，不管国家大事，这样下去，楚国很危险！"

楚襄王很不高兴，反问道："你怎么说这些险恶的话来惑乱人心？"

庄辛回答说："不信您就等着瞧吧！"

五个月后，庄辛的预言不幸成为了现实。秦军大举进攻楚国，攻占了包括首都在内的大片国土。楚襄王只好弃都而逃，被困在城阳。

身处困境的襄王十分后悔，就派人把庄辛找了回来。庄辛说："亡羊补牢为时未晚，楚国虽然遭到了打击，但只要及时改过，还是可以重整旗鼓的。"

楚襄王听了庄辛的一番话，为之一振，借助庄辛的智谋和才干，出兵回击秦军，收复了不少失地。

## 古人自我修养的方法

（1）反省：最早见于《论语》："曾子曰：吾日三省吾身：为人谋而不忠乎？与朋友交而不信乎？传不习乎？"

（2）撰铭：在自己常用的器物上刻写文字以自勉。如《礼记》："汤之盘铭曰：苟日新，日日新，又日新。"

（3）悬联：在堂、室等处悬挂对联，朝观夕看，自省自勉。南宋诗人陆游的悬联："万卷古今消永日，一窗昏晓送流年。"

（4）咏物：以物喻人。屈原以橘自喻："受命不迁，生面国兮。"

（5）用物：成语有"韦弦之佩""佩韦自缓"和"佩弦自急"之说。

wéi dé xué wéi cái yì

# 惟德学，惟才艺，

bù rú rén dāng zì lì

# 不如人，当自砺。

## 注释

**惟：**必须。

**德：**德行。

**学：**学问。

**砺：**磨砺，引申为奋发图强。

## 译文

必须注重自己的德行、自己的才能技艺。如果不如别人，就要自我激励，奋发图强。

## 故事

### 魏文侯登门求教

战国时，魏国的国君魏文侯非常重视人才。

一次，魏文侯听说有位叫段干木的人很有才能，就亲自去拜访。他坐的马车刚到段家的小巷口，他就叫人把车停下来，一个人轻轻地走到门口，叩了叩大门。段干木不愿当官，听到门响，就从后门跑了。吃了闭门羹的魏文侯不但没有生气，反而更加敬重段干木。他说："此人才能卓越，又不追求权势，我怎能不敬重他呢？"

魏文侯的话传到了段干木那里，令他非常感动，于是，就同意和魏文侯见面。

　　第二次拜访时，段干木坐在一把破椅子上，同魏文侯就如何治理国家侃侃而谈。魏文侯则站在他的面前，毕恭毕敬地仔细听着。二人从烈日当空一直谈到夕阳西下，最后，段干木决定出山，帮助魏文侯治理天下。

### 古代的官吏选拔

　　中国古代官吏的选拔途径很多，有世袭、军功、荐举、郎选、恩荫和科举制等。主要有三个阶段和三种制度：

　　（1）先秦：世袭制，主要有"父死子继""兄终弟及"两种。

　　（2）秦汉至魏晋南北朝：荐举制，是由地方长官考察，选取人才，举荐给中央。

　　（3）隋唐至明清：科举制，是那时读书人都参加的人才选拔考试。

ruò yī fú　　ruò yǐn shí

# 若衣服，若饮食，

bù rú rén　　wù shēng qī

# 不如人，勿生戚。

## 注释

若：如果。

戚：悲戚，难过。

## 译文

如果是穿的衣服，或是吃的东西不如别人，那也用不着忧戚、难过。

## 故事

### 阮咸晒衣

阮咸是晋朝著名的文学家，年轻时并不富裕，吃的穿的都很平常，但他一点儿也不自卑。

当时，阮咸的家乡有一个风俗，就是每年七月初七，各家都要把自家的箱子打开，把箱中的衣物拿到太阳下面晾晒，据说这样衣物就不会被虫子咬。

这一天，很多富人都把自家的贵重衣物晾出来，相互炫耀攀比。阮咸也把自己的旧衣服拿出来晾晒，结果引来许多人的观看。有人指指点点说："你看阮咸的衣服这么破旧，还好意思拿出来晾晒！"

阮咸一点儿也不在意地说："富贵不是可以炫耀的资

本，贫寒也不是耻辱，人活着要是没有德行，再好看的衣服都是'金玉其外，败絮其中'。"

说完，围观的人群就默默地散去了，因为大家都觉得很羞愧。

### 中国古代衣服的变化

商周时代：基本形制是上衣下裳。那时人们上身穿的是衣服，而下身穿的则是裙子（"裳"不是裤子）。

先秦时代：服饰特点是上衣下裳、宽衣博带。赵武灵王把胡服引进中原，于是，汉人也穿起了长裤。

春秋战国：出现了深衣，相当于现代的连体衣；出现了皮带，人们可以在皮带上悬挂刀剑、弓箭等。

秦汉时期：服饰开始多变，但当时的裤子仍没有裤裆，只有两只裤管，然后把上端连起来系在腰间。

wén guò nù　　wén yù lè

# 闻过怒，闻誉乐，

sǔn yǒu lái　　yì yǒu què

# 损友来，益友却。

## 注释

闻：听到。

誉：赞誉，赞美。

益友：对自己有益的朋友。

过：过错，缺点。

损友：对自己有害的朋友。

却：离去。

## 译文

听到别人说自己的过错就生气，听到别人赞美自己就高兴。那么，对自己有害的朋友就会来，对自己有益的朋友就会离去。

## 故事

### 国君之死

春秋时有一个国名为郭的小国，郭国后来被其他的诸侯国给灭掉了。郭国灭亡的时候，国君在宫门口拦了辆马车仓皇逃跑。

刚出城门，车夫就对国君说："我在车上为您准备好了酒菜，您可以尽情享用！"国君吃饱喝足，问车夫："你车上怎么会有吃的东西呢？"车夫说："我知道郭国早晚都有灭亡的一天，所以，早就为您准备好了！"国君大怒："你既然早知有今日，为什么不告诉我呢？"车夫说："您很喜欢听好话，如果谁说了您的不是，您就把他杀掉。我不敢说啊！"国君生气地说："照你这么说，是我不够贤明吗？"车夫听出了国君的语气，就说："怎么会呢，是天下的人糊涂，只有您一个人贤明，所以，才会有今天的局面！"国君一听车夫说他贤明，马上又高兴起来。

　　车夫无奈地摇摇头，趁国君没注意的时候逃跑了，最后国君死在了路上。

### 损者三友

　　孔子说：损者三友有：友便辟、友善柔、友便佞。

　　友便辟：指性情暴躁的朋友。哥们义气很害人，朋友间应该以理性作为第一位。

　　友善柔：指脾气优柔寡断的朋友。我们这一生，要做的事情很多，不要让优柔寡断的朋友，干扰了你的思维。

　　友便佞：指心怀鬼胎的朋友。这是一种最坏的朋友，他们是真正的小人，为达利益不择手段，最终会把你出卖。

wén yù kǒng    wén guò xīn

# 闻誉恐，闻过欣，

zhí liàng shì    jiàn xiāng qīn

# 直谅士，渐相亲。

## 注释

恐：恐惧，不安。

欣：欣喜。

直谅士：正直诚信的人。

亲：亲近。

## 译文

听到别人赞美自己就惶恐不安，听到别人指出过错就欣喜接受。这样的话，那些正直诚信的人就会逐渐喜欢和你亲近。

## 故事

### 齐宣王闻过能改

齐宣王是春秋时期齐国的国君，他好大喜功。

有一次，齐宣王命人建造一座宏伟的宫殿。这座宫殿令工匠们建造了三年还没建好。这时有一个叫春居的人忍不住了。他对齐宣王说："我想问大王一个问题，可以吗？"齐宣王说："你说吧！"春居说："如果君主做事不计百姓得失，这算不算是贤君呢？"齐宣王说："当然算不上！"春居说："现在您修建宫殿整整三年还修不成，居然没人向您进谏，您算得上有贤臣吗？"齐宣王说："算不上！"春居又说："臣说完了，微臣告退！"

　　齐宣王一下子明白了，说："我知道自己的错误了！"接着，他对身边的人说："快下令停止修建宫殿！"又对史官说："快把我的过错记录下来！"

## 益者三友

孔子说：益者三友有：友直、友谅、友多闻。

友直：朋友要为人正直、坦荡、刚正不阿，要有一种朗朗人格，因为他的人格能映照出你的人格。

友谅：朋友要善于宽容对方的过错，不能过分指责、责怪。一个好朋友会给我们增加一种自省的力量。

友多闻：结交一个有才学的、知识面广的朋友，就像翻开一本词典一样，会对你的判断做出一个参考。

## wú xīn fēi， míng wéi cuò
# 无 心 非， 名 为 错；
## yǒu xīn fēi， míng wéi è
# 有 心 非， 名 为 恶。

**读 注释**

非：错误，邪恶。

名：称。

有心：故意，有意。

**看 译文**

无意之中做了不好的事，就叫"过错"。如果是故意去做的，那就叫"罪恶"。

**品 故事**

### ❀ 无心之过而能改 ❀

齐景公在位的时候，有一次，大雪下了三天三夜仍不停。他身穿白色狐皮大衣，坐在朝堂之上欣赏雪景。此时，晏子前来朝见，站立了一阵子之后，齐景公对他说："真奇怪！大雪下了三天，却一点儿也不冷。"

晏子说："古代的贤君，自己吃饱了能知道有人在饥饿着，自己温暖了能知道有人在寒冷中，自己安逸了能知道有人正在劳累着。如今君主却不知道这些。"

齐景公红着脸说："说得好！寡人明白你的意思了。"于是，他命人拿出皮衣、粮食，发放给那些挨饿受冻的人。他还下达命令说，但凡看到路途上有饥饿的人，不用问他是哪个乡的；但凡看到街巷中有饥寒的人，不用问他是哪家的。对于既要劳动又要读书的人，按两个月的数量发给；对于有疾病的人，按两年的数量发给。

靠着这片善心，齐景公成了春秋时期的霸主之一。

### 学知识

## "无心之过"与"明知故犯"

无心之过：指不是有意犯的错误，或本来抱着好意，却做了错事。这些都不是有意犯的过失，这种错误只要知错就改，就容易让人原谅。

明知故犯：指明明知道不能做，却故意违犯，例如，故意去行恶事，捉弄别人或偷盗放火，都是有心去做的，是发自内心的行为，这样的事情，便是"罪恶"，做这样的事的人，便是恶人。

guò néng gǎi　　guī yú wú
# 过能改，归于无，

tǎng yǎn shì　　zēng yì gū
# 倘掩饰，增一辜。

## 注释

归：回到。　　　　无：没有。

倘：如果。　　　　辜：罪过，过错。

## 译文

有了错误能够及时改正，就等于没有犯错误。但如果还要去掩饰，那就是错上加错了。

## 故事

### 改过自新

西晋时期，有一个年轻人叫周处。他凶暴强悍，任性使气，被乡亲们认为一大祸害。

当时，乡里河中有条蛟龙，山上有只白额虎，两者一起侵犯百姓。当地的百姓将它们一并称为三害。这三害当中属周处最为厉害。

周处为了表现自己的勇猛，便到山上杀死了老虎，又下河去斩杀蛟龙。三天三夜过去了，乡亲们都认为周处已经死了，互相庆祝。

而周处最终杀死蛟龙上了岸。他听说乡里人以为自己已死，并对此表示庆贺的事情后，才知道因为自己作恶太多，大家已经把自己当成了一大祸害。

因此，周处心生悔意，便去拜陆机和陆云为师。陆云说："古人认为'哪怕是早晨明白了圣贤之道，晚上就死去也甘心'，你要尽快改正。"

周处听后，发誓要改掉恶习。后来，他终于成了一名为国效力的大将军。

## 功过格

　　功过格是古代道士记录自己善恶功过的一种簿册。后来流行于民间，泛指用分数来表现行为善恶程度的指导类善书。

　　善言善行为"功"，记"功格"；恶言恶行为"过"，记"过格"。

　　具体做法是将功格和过格分别列成两项，并用正负数字标示。使用者每夜自省，将每天行为对照相关项目，给各善行打上正分，恶行打上负分，只记其数，不记其事，分别记入功格或过格。月底做一小计，年底再将功过加以总计，功过相抵。

# 泛爱众

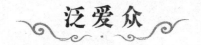

fán shì rén　　jiē xū ài
## 凡是人，皆须爱，

tiān tóng fù　　dì tóng zài
## 天同覆，地同载。

### 注释

须：应该，必须。　　　　覆：覆盖。

载：承载。

### 译文

　　只要是人，都应该互相关心、爱护。因为我们生活在同一片蓝天下，居住在同一片土地上。

### 故事

#### 人不可貌相

　　春秋时代，孔子有一个弟子叫子羽。子羽长得其貌不扬，孔子看他长相愚钝，言行笨拙，觉得子羽将来不会有什么出息。当时，孔子还有另外一个学生，名叫宰我。宰我长得相貌堂堂，又能言善道。孔子第一次和宰我交谈的时候，就很欣赏他，认为宰我以后一定能够有所作为。

　　然而，结果却和孔子料想的不一样。

　　子羽对求学问很有兴趣，并且喜欢思考，他奋发努力，终于成了一个著名的学者，后来，许多年轻人去向他求教，拜他为师。

而宰我却十分懒惰，孔子虽然努力教导，他的学问依旧没有长进。孔子三番两次地劝导，宰我也无动于衷，孔子气得骂他："朽木不可雕也！"

后来，孔子感叹道："如果以容貌来判断一个人的好坏，就会像对子羽一样，产生误判；如果以谈吐来衡量一个人的才华，就会像对宰予一样，产生误判。"

## 国之四维

"国之四维"即春秋时期管仲提出的治国"四纲"：礼、义、廉、耻。

礼指上下有节；有礼，人们就不会逾越规则。

义指以法进仕；有义，人们就不会妄自求进。

廉指明察善恶；有廉，人们就不会掩饰恶行。

耻是羞恶知耻；有耻，人们就不会顺从邪妄。

管仲认为，治国用此四纲，那就"国可守民可治"而如果不用，则"四维不张，国乃灭亡"。

xíng gāo zhě　　míng zì gāo

# 行高者，名自高，

rén suǒ zhòng　　fēi mào gāo

# 人所重，非貌高。

## 讀 注释

行：品行。　　　　　名：声名。

自：自然。　　　　　重：敬重。

貌高：外貌高大，仪表堂堂。

## 看 译文

品行高尚的人，声名自然高远。人们所敬重的，并非他好看的容貌。

## 品 故事

### ⌇ 晋人伐楚 ⌇

晋人伐楚，楚人已经退避九十里，晋人的攻击仍然不停止。

楚国的大夫说："让臣反击吧。"

楚庄王说："前代君王在位的时候，晋国不攻打楚国，但是到了我这一代，晋国却来攻打我们，这是寡人的罪过啊。"

大夫说："君主切不可以这么说，其实是臣等无能，才导致晋国攻打楚国，还是让臣反击吧。"

楚庄王低下头哭泣了一会儿，然后站起身，对各位大夫施以拜礼，发出命令准备反击。

　　晋国人听说此事之后说："国君和臣子都把罪过往自己身上揽，而且国君在臣子面前表现得那么谦卑有礼，可见是上下同心，三军也同心协力啊。由此看来，楚国恐怕是攻打不成了。"

　　于是，晋国人连夜退兵回国了。

### 古人的"义"

　　在中国传统文化中，"义"不仅是一个非常重要的概念，也是古人非常重视的一种道德修养和人格境界。

　　"义"是指道义，即行为是正义的或符合道德规范的。

　　"义"与"仁"的关系非常密切，所以，"仁义"二字经常并称连用。从某种意义上说，"仁"是"义"的内涵，"义"是"仁"的外延。

cái dà zhě   wàng zì dà
# 才大者，望自大，
rén suǒ fú   fēi yán dà
# 人所服，非言大。

## 注释

才：才学、才能。　　望：名望。　　自：自然。
服：佩服。　　　　　言大：夸夸其谈，自吹自擂。

## 译文

才学丰富的人，他的名望自然就会很大。人们所佩服的，并非那些自吹自擂的人。

## 故事

### 晏婴使楚

春秋时期，晏婴担任齐国的相国，但他的长相很普通，而且很矮小。

有一次，齐王派晏婴出使楚国。楚王想侮辱一下晏婴，就在城墙下开了一个小门让他进。晏婴不卑不亢地说："如果我访问的是狗国的话，那我就只好从这里进去了。"楚国人一听，忙打开城门让晏婴进去。

见到晏婴之后，楚王故意问："齐国没人了吗？怎么把你派来了？"晏婴回答说："我国派人出访有个规矩：去上等的国家就派上等人物，去中等的国家就派中等人物，而我最不中用，所以，就被派到楚国来了。"

楚王听后，被晏婴的口才所折服，并马上向他道了歉。

jǐ yǒu néng　　wù zì sī
# 己有能，勿自私；
rén yǒu néng　　wù qīng zǐ
# 人有能，勿轻訾。

## 注释

能：才能，能力。
轻：轻易，随便。
訾：诋毁。

## 译文

自己有才能，不要只想着为自己谋私利。别人有才能，不要心生嫉妒，随便诋毁。

## 故事

### 只举贤能

春秋时，晋平公向大夫祁黄羊请教："你看谁能胜任南阳县令的职位？""解狐。"平公问："解狐不是你的仇人吗？"祁黄羊说："您问的是谁能担当县令，没问我的仇人是谁呀？"不久，晋平公又问祁黄羊："现在需要一个人来管理军队，你看谁行？"祁黄羊说："祁午。"平公说："祁午不是你的儿子吗？"祁黄羊说："您问我谁能当军事长官，也没问谁是我的儿子呀？"祁黄羊就是这样，不管是仇人还是亲人，他只推举有贤能的人。

wù chǎn fù　　wù jiāo pín

# 勿谄富，勿骄贫，

wù yàn gù　　wù xǐ xīn

# 勿厌故，勿喜新。

## 注释

谄：谄媚，讨好，巴结。

骄：轻视，看不起。

厌：厌恶。

故：旧的。

## 译文

不要讨好巴结富人，也不要看不起穷人。不要厌弃旧的事物，也不要只喜欢新的事物。

## 故事

### 宋弘念旧

东汉时期，有一个官员叫宋弘。他做司空的时候，正值光武帝刘秀的姐姐湖阳公主刚刚死了丈夫。光武帝就同湖阳公主谈论朝中的臣子，想看看她是否想与某位臣子结下姻缘。湖阳公主说："宋公容貌威严且道德高尚，臣子中没有一个赶得上他的。"

光武帝听了，就去找宋弘，问他是否愿意娶湖阳公主。宋弘说："我听说，'贫贱之交不可忘，糟糠之妻不下堂。'我的妻子是与我共同吃过苦的，而且关系一直很不错，如果这个时候，我因为荣华富贵而抛弃了她，我的良心一定会过不去，还是请陛下收回成命。"

光武帝听后非常赞赏他，回宫后就对湖阳公主说："我看这件事情还是算了吧，宋弘是一个有仁义有道德的人，恐怕你没有这个福气。"

## 拜金主义

拜金主义就是对金钱痴迷，为了金钱不顾一切。事事为了钱，时时刻刻想着怎么不择手段得到尽可能多的钱，认为金钱是万能的。

拜金主义是现代社会物欲横流、道德沦丧的现象之一。

拜金主义是中国儒家文化所痛斥与反对的，早在春秋时期，孔子就说过："君子喻于义，小人喻于利""君子谋道不谋食""不义而富且贵，于我如浮云"等。

rén bù xián　　wù shì jiǎo
# 人 不 闲 ， 勿 事 搅 ；
rén bù ān　　wù huà rǎo
# 人 不 安 ， 勿 话 扰 。

## 注释

搅：打搅。
安：安定。
扰：打扰。

## 译文

　　别人忙碌的时候，不要用事去打搅他。别人身心不安的时候，不要同他说话，以免打扰他。

## 故事

### 不合时宜

　　三国时期，魏明帝最疼爱的一个女儿去世了。魏明帝非常悲痛，决定厚葬她，并且表示自己要亲自去送丧。

　　这时，大臣杨阜对魏明帝说："过去，先王和太后去世时，您都没有送丧，现在女儿死了却去送丧，这于礼法不合。"杨阜说得虽然有道理，但当时魏明帝悲痛至极，并没有接受杨阜的建议。杨阜就反反复复、唠唠叨叨地说个不停。

　　结果，气愤的魏明帝把杨阜赶出了朝堂。

rén yǒu duǎn　　qiè mò jiē
# 人有短，切莫揭；
rén yǒu sī　　　qiè mò shuō
# 人有私，切莫说。

## 注释

短：短处，缺点。

揭：揭穿，揭露。

私：隐私。

## 译文

　　别人有缺点和短处，一定不要随意揭穿。别人有隐私和秘密，一定不要四处张扬。

## 知识

### 佛教中的"不妄语"

不妄语戒，属于佛教中的"五戒"之一。

妄语，又作虚诳语，是指心口相违，说虚妄不实的言语。不妄语，意思就是戒除那些虚妄不实的话。

不妄语主要是指三种：

1. 两舌——搬弄是非，乖离亲友。

2. 恶口——揭短咒诅，使他人难堪。

3. 绮语——毫无意义的世俗浮词，能增长放逸、忘失正念的话题。

dào rén shàn　　jí shì shàn

# 道人善，即是善，

rén zhī zhī　　yù sī miǎn

# 人知之，愈思勉。

## 注释

道：称道，称赞。

愈：更加。

思：想要。

勉：勉力。

## 译文

称赞别人的善行，本身就是一种善行。因为别人听到后，就会更加勉励自己去行善。

## 故事

### 爱赞人的司马徽

东汉时期，有个叫司马徽的人，他从来不说恶话，不做恶事。

有一次，一个学生问他："老师，您觉得我写的文章怎么样啊？"司马徽看着学生的文章，连连说好。学生激动地说："老师，您真是我的伯乐啊，以后我会更加努力的！"学生走了以后，他的妻子说："你称赞了他，他会更加努力，这真是一件好事啊！"

过了一会儿，他的朋友哭丧着脸来了，见了司马徽就哭着说："今天骑马来的时候摔倒了，竟然把马摔死了，真倒霉！"司马徽劝慰朋友说："虽然失去了马，但你不是好好的吗？真是幸运啊！"他的朋友一想，果然是这样，走的时候就很高兴。妻子夸奖司马徽说："你劝慰了朋友，让他不再伤心，这真是一件好事啊！"

### 善有善报，恶有恶报

国学知识

"善有善报，恶有恶报"出自佛经《璎珞经·有行无行品》。意思是说行善和作恶到头来都有报应。做好事终究会有好的回报，做坏事终究会有坏的报应。

其所讲的是因果报应，佛教认为，一个人的命运是自己造成的，想要有好的命运，就要行善积德，而不要行凶作恶、干坏事。不论做了什么，有因就有果，早晚会遭到报应。

yáng rén è    jí shì è

# 扬人恶，即是恶，

jí zhī shèn    huò qiě zuò

# 疾之甚，祸且作。

## 注释

扬：宣扬。　　　　恶：恶行。

疾：痛恨。　　　　甚：更加，非常。

且：就要。　　　　作：引发。

## 译文

　　宣扬别人的恶行，本身就是一种恶行。如果过分痛斥他的恶行，就会招来祸患。

## 故事

### 许攸之死

　　许攸年轻时，和曹操是好朋友，他后来做了袁绍的谋士，但他的计谋常常不被采用。

　　有一次，许攸的家人因犯罪被袁绍抓了起来，许攸一怒之下投靠了曹操。曹操听到许攸来了，大喜过望："老朋友，你能来我太高兴了！"由于许攸提供了重要情报，曹操赢得了官渡之战的胜利。

　　从此，许攸认为自己功不可没，到处口出狂言，说："要不是我，曹军早就被袁绍灭了！曹丞相就是因为用我才打了胜仗，他自己又有多少才华呢？还有那些当兵的，都笨得要死，要不是我救了他们，他们早就死了！"这些话引起了曹军将士的反感。由于他经常出言侮辱、痛斥别人，大将许褚一怒之下便杀了他。

曹操听说后却没有追究，因为他也讨厌许攸口出狂言。

## 佛　教

佛教与基督教、伊斯兰教并称为世界三大宗教。它由公元前6世纪～公元前5世纪古印度的迦毗罗卫国王子乔达摩·悉达多（释迦牟尼）所创立，在东汉时期经丝绸之路传入我国。

佛教是佛陀的教育，而不是拜佛的宗教。严格来讲，佛教不是宗教，也不是哲学，说佛教是宗教只是一种通俗的说法而已。佛教的理论对人类是一种终极关怀，是一种积极向上的学说，它讲究用大智慧打破烦恼，跳出轮回之苦，达到觉悟。所以，佛教的传播，对世界文化做出了不可磨灭的贡献。至今，它依然深深地影响着我们。

shàn xiāng quàn　　dé jiē jiàn

# 善相劝，德皆建；

guò bù guī　　　dào liǎng kuī

# 过不规，道两亏。

## 读 注释

**善**：善心，善待。　　**建**：建立，养成。

**规**：规劝。　　　　　**亏**：亏损，缺失。

## 著 译文

　　人与人之间相互劝善，那彼此都能养成好的德行。有错而不相互规劝，那两个人在道德上都会有缺失。

## 品 故事

### 颍考叔巧谏

　　春秋时期，郑庄公有一个弟弟叫公叔段。郑庄公的母亲非常宠爱这个小儿子，甚至帮助他造反。郑庄公对母亲的行为十分不满，就把她迁到城颍去住，并发誓说："不到黄泉，誓不见她。"

　　一年多过去了，郑庄公很后悔，因此整天闷闷不乐。

　　后来有一次，庄公请颍考叔吃饭，颍考叔把肉留在一旁不吃。庄公感到奇怪，问他："为什么不吃肉羹？"颍考叔回答："臣下家有老母，没有尝过大王的肉羹，请允许我留下带给老母。"庄公说："你有母亲可送食物，只有寡人没法送。"颍考叔说："这是什么意思？"庄公告诉他原因，并说自己很后悔。颍考叔说："主公可以挖一条隧道，直通到有泉水的地方，然后在隧道里相见，不就不违背誓言了吗？"

庄公听了，就立即命人去挖隧道。隧道挖成以后，庄公终于在隧道里见到了母亲，双方又悲又喜，和好如初。

### 古代的功德碑

功德碑是古代人们为了歌颂、赞扬政绩的一种碑，立碑的目的是对当时的人和后人起到模范和榜样的作用。

功德碑的材料主要是花岗岩等石料，因为岩石不容易被风化，不怕雨淋不怕日晒，所以，功德碑保存的寿命都会很长。

现存最早的功德碑，是东汉年间的《礼器碑》，全称为《汉鲁相韩勑（chì）造孔庙礼器碑》，刻于公元156年，碑文赞颂的是鲁相韩勑豁免了孔子的母亲颜氏和孔子的妻子亓（qí）官氏家族后人，并且制造了孔庙的功绩。

fán qǔ yǔ guì fēn xiǎo
# 凡取与，贵分晓，

yǔ yí duō qǔ yí shǎo
# 与宜多，取宜少。

## 读 注释

凡：凡是。　　　　　取：拿，取得。
与：给予。　　　　　贵：贵在。
分晓：清楚明白。　　宜：最好，应该。

## 看 译文

凡是拿人家东西或给人家东西，贵在清楚明白。给人家东西时应该多一点儿，拿人家东西时应该少一点儿。

## 品 故事

### 士选让产

五代时期有个叫张士选的，幼年时就失去了父母，靠叔叔养育、教诲他。

等到张士选十七岁的时候，他祖父留下的家产还没分过，叔叔就对士选说："现在我和你把祖父遗下的家产分为两份，各得一份。"可是，张士选却说："叔叔有七个儿子，应当把家产分为八份才对。"叔侄俩互相礼让过后，叔叔没办法只好答应，把所有的财产分成了八等份。

张士选进京城参加考试时，有一位精通相学的术士指着张士选说："今年高中状元的，就是这位少年啊！"

一同去的人听到了，都大笑不已，对相士的说法不置可否。相士说："做文章这件事我不懂，但这位少年满脸都充满着积德的气象，这一定是他做了善事的缘故，所以，我才敢断定他今年必定高中状元！"

后来，张士选果然考中状元，声名传遍了京城。

## 佛教中的"舍"和"得"

在佛教中，"舍"和"得"是一对辩证的词语。佛教认为"舍即是得，得即是舍"，为什么这么说呢？原因有三：

（1）贪得必失：贪是佛教的"三毒"之一，一个人有了贪心，便会被所贪的事物迷惑，思维受到局限，从而失去了获得其他事物的能力。

（2）因小失大：有的人往往只看到细枝末节的小利，却忽略了整个人生需要的原则、道德，导致因小失大。

（3）因果报应：能够施舍的人，往往具备善心，具备了善心，就会善有善报，从而得到相应的回报。

jiāng jiā rén　xiān wèn jǐ

# 将加人，先问已，

jǐ bú yù　　jí sù yǐ

# 已不欲，即速已。

## 注释

将：想要。

加：强加于。

欲：想。

速：立刻，立即。

已：停止。

## 译文

　　想要强加到别人身上的事，首先要反问自己。如果自己都不愿意去做，那就立刻停止。

---

### 己所不欲，勿施于人

　　"己所不欲，勿施于人"是孔子的经典妙句之一，也是儒家文化的精华所在。

　　它的意思是指：自己不想要的东西，切勿强加给别人。

　　在这句话里面，孔子所强调的是，人应该有宽广的胸怀，待人处事之时切勿心胸狭窄，而应宽宏大量，宽恕待人。倘若自己所讨厌的事物，硬塞给他人，不仅会破坏与他人的关系，也会将事情弄僵而不可收拾。

　　人与人之间的交往确实应该坚持这种原则，尊重他人的意见，实现人与人之间的互相平等，这是儒家思想积极的一面。

ēn yù bào　　yuàn yù wàng

# 恩欲报，怨欲忘；

bào yuàn duǎn　　bào ēn cháng

# 报怨短，报恩长。

## 注释

欲：要。

短：短暂。

长：长期。

## 译文

　　别人对自己的恩情要想着报答，别人对自己的怨恨要忘掉。抱怨的想法，越短越好；报恩的想法，要常记不忘。

## 故事

### 一饭之恩

　　赵盾是春秋时期晋国的大臣，由于他经常指责国君的过失，所以，被国君视为眼中钉。

　　一次，国君假意请赵盾喝酒，却在酒宴上埋伏了杀手。眼看他就要被杀时，一名武士挺身相救。

　　后来，赵盾问那个人为什么要拼死相救，这位武士回答说："当年我流落街头，饿得就要死了，是您送了我一筐饭食，并且还送东西养育我的母亲，这个恩德您忘了，我怎么能忘呢？"原来，这个武士便是当年赵盾救济过的一个乞丐。

dài bì pú　　shēn guì duān

# 待婢仆，身贵端；

suī guì duān　　cí ér kuān

# 虽贵端，慈而宽。

## 注释

待：对待。　　　　　婢仆：古代有钱人家的仆人。

贵：注重，重在。　　端：端正。

宽：宽容。

## 译文

对待家里的婢女与仆人，重要的是要自己做得端正。虽然自己做得端正很重要，但一定要仁慈、宽容。

## 故事

### 张飞之死

张飞是三国时期蜀国的大将。他的义兄关羽被吴军杀害以后，他悲痛万分，对身边的将士说："快传令下去，三天之内，备齐白旗白甲，挂孝征讨吴国，为我兄长报仇！"

将士们私下里议论纷纷，可是谁都不敢向张飞提意见。后来有人说："还是请范疆、张达两位将军去说吧！"范疆、张达来到张飞面前说："元帅，白旗白甲三天之内不能准备好，可否宽限几天？"

张飞红着眼睛冲他们大吼："我急着报仇，你们竟然偷懒还找理由！来人，把他们拖出去重责！"二人受过刑后，对张飞心怀怨恨，当夜就聚在了一起。范疆说："想不到张飞为了个人恩怨，要让将士们为他去送死，而且对我们还这么苛责。"张达说："这样的长官，还不如杀了他。"于是，二人共谋，在半夜张飞熟睡的时候，用剑把他刺死了。

张飞对待下属这样严苛，这才惹来了杀身之祸。

### 古代的"奴婢"

"奴婢"在古代指丧失自由、为主人无偿服劳役的人。其来源有罪人、俘虏及其家属，也有从贫民家中买来的。通常男称奴，女称婢，后来也用作男女仆人的泛称。

奴婢是奴隶社会、封建社会的产物，是一种泯灭人性的行为。秦汉时期，社会中身份最低贱的这些人，他们同牛马、田宅、器物一样是主人的财产，主人可以任意役使、打骂、赠送和买卖。明清之后奴婢制逐渐废止，有些转为长工，在19世纪时还有苦力制，直到1949年，奴婢制度才被完全废除。

shì fú rén    xīn bù rán
# 势 服 人，心 不 然；

lǐ fú rén    fāng wú yán
# 理 服 人，方 无 言。

## 读 注释

势：权势。
然：同意。
理：道理。
方：才。

## 看 译文

用权势去压服别人，别人心里一定不服。用道理去说服别人，别人才会无话可说。

## 品 故事

### 苏代救国

战国时期，燕王听说赵国要攻打自己，非常害怕。谋士苏代知道了，对国君说："赵王是个通情达理的人，我去见见他吧！"

苏代见到赵王，说："我给您讲个故事。在渭水河边，一只鹬鸟看到一只河蚌躺在沙滩上，就立刻去啄河蚌的肉，河蚌一疼，立刻关闭蚌壳，把鹬鸟的嘴夹住了。它们谁也不肯松口，这时一个渔翁赶了过来，把它们都抓住了！现在您攻打燕国，两国相争，秦国就会坐收渔翁之利啊！"

赵王听了苏代的话，觉得很有道理，于是，就放弃了攻打燕国的计划。

### "王者"和"霸者"

王者：以王道治国的皇帝都叫王者。在古代，并非所有的皇帝都能称得上是王者，须是德才兼备、以德治国的君主，才能称得上是王者，而暴君、昏君，则不在此列。

霸者：一般指诸侯之类的君主，多是以武力著称的诸侯。例如"春秋五霸""西楚霸王项羽"，都属于霸者。

# 亲仁

tóng shì rén　lèi bù qí
## 同是人，类不齐；

liú sú zhòng　rén zhě xī
## 流俗众，仁者希。

## 注释

**类**：类别。　　**齐**：一样。　　　**流俗**：流于世俗的人。
**众**：多。　　**希**：同"稀"，稀少。

## 译文

　　同样是人，但善恶正邪却各不一样。流于世俗的人多，仁慈贤良的人少。

## 故事

### 感化偷牛人

　　三国时，有一个叫王烈的读书人，在当地很有威望。

　　有个人偷了别人一头牛，被失主捉住了。偷牛人说："我一时鬼迷心窍，偷了你的牛，你怎么罚我都行，只求你不要告诉王烈。"这件事让王烈知道了，他立即托人赠给偷牛人一匹布。有人不理解，王烈解释道："做了贼而不愿让我知道，说明他有羞耻之心，我送布是为了激励他改过自新。"

　　后来，这个曾经偷牛的人果然金盆洗手，而且变成了一个乐于助人、拾金不昧的好人。

guǒ rén zhě　　rén duō wèi
# 果仁者，人多畏；

yán bú huì　　sè bú mèi
# 言不讳，色不媚。

## 注释

**果：**果真。

**讳：**避讳，忌讳。

**媚：**谄媚，阿谀奉承。

## 译文

果真有仁德、高尚的人，人们都会敬畏他。这样的人说话直言不讳，不对别人阿谀谄媚。

## 故事

### 谢览不恭维

萧衍是我国历史上南朝的一位皇帝。在萧衍即将当皇帝的时候，人们见了他都歌功颂德，萧衍自己也志得意满。但有一个人却与众不同，他见了萧衍既不恭维，也不拘束，给萧衍行礼后，转身就走。萧衍见此情景，沉默了好大一会儿，然后问旁边的官员："这位年轻人是谁？"手下人告诉他这个人叫谢览。萧衍记住了这个名字。他对这位年轻人不卑不亢、坦然自若的样子很赞赏，决定日后重用他。

néng qīn rén wú xiàn hǎo
# 能亲仁，无限好，

dé rì jìn guò rì shǎo
# 德日进，过日少。

## 注释

亲：亲近。
好：好处。
日：每天。
进：进步。

## 译文

能够亲近仁德的人，就会得到无限的好处。德行会每天都有进步，过失就会一天天减少。

## 故事

### 孟母择邻

孟子（公元前 372 年 ~ 公元前 289 年），名轲，字子舆，战国时期著名的思想家。

相传，他很小的时候，父亲就去世了，母亲承担起了教育孟轲的职责。

孟母为了教育他，曾经三次搬家。最早，孟轲家住在一片墓地附近，孟轲经常模仿出殡的场景，扮演哭丧人。孟母怕孟轲误入歧途，就把家搬到了人多的集市上，孟轲又开始学着隔壁的屠夫杀猪卖肉。孟母十分担心，又把家搬到了一个学堂附近。从此，孟轲就跟着私塾里的先生专心学习礼仪，学业不断长进，孟母终于满意了，便长期定居下来。

在孟母的努力下，孟子终于有了一个良好的学习环境。他发愤苦读，学习礼仪，最后成为了伟大的思想家。

### 话说"君子"

儒家对"君子"非常重视，虽然，儒家有圣人、贤人，道家有真人、至人、神人的说法，他们的境界均高于君子，但是世间完人总是不多，所以，"君子"就特别值得注意与追求。

"君子"是孔子理想化的人格。一开始指地位高的人，后来指人格高尚、道德品行兼好的人。

"君子"必须以行仁、行义为己任，处事要恰到好处，做到中庸。总之，做一名"君子"是非常难的，非要有坚定的毅力去坚持才行。

<br>

bù qīn rén　　wú xiàn hài

# 不亲仁，无限害，

xiǎo rén jìn　　bǎi shì huài

# 小人进，百事坏。

## 注释

害：害处，祸害。
进：进入，指乘虚而入。
坏：败坏，失败。

## 译文

　　不亲近仁德的人，就会有无穷的祸害。小人就会趁虚而入，导致什么事情都被办坏。

## 故事

### 齐桓公之死

　　春秋时期，齐桓公为春秋五霸之首，他是个英明的君主，但在晚年时，他却宠信易牙、竖刁和开方三个小人。

　　丞相管仲临死前，齐桓公问他："你这就要走了，再给我进谏最后一次吧！"

　　管仲回答道："大王，易牙、竖刁和开方三个都是小人，为了获得您的宠信，易牙亲手杀死自己的儿子，做成菜给您吃；开方和亲人断绝了关系；竖刁自愿当了太监。这三个人对待自己和亲人都这样无情，一定不值得信任。"

　　可是管仲死后，齐桓公把这些话抛在了脑后，并没有听取他的意见。这三个小人仗着齐桓公的宠信，为非作歹，使朝政一片混乱。几年后，齐桓公病重，这三个人对他不理不睬，最后，威震天下的齐桓公竟然饿死了。

## 话说"小人"

　　"小人"在儒家思想中，被定义为"君子"的"反义词"。如孔子所说："唯女子与小人难养也，近之则不逊，远之则怨。"

　　在社会生活中，"小人"专指喜欢做些搬弄是非、挑拨离间、隔岸观火、落井下石之类的人，与"贵人"相反。

　　但在古代，"小人"还有以下几种意思：地位低下的人、身体矮小的人、对儿童的称谓、古人的自称等。

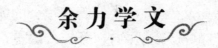

# 余力学文

bú lì xíng    dàn xué wén
## 不力行，但学文，
zhǎng fú huá    chéng hé rén
## 长浮华，成何人。

**注释**

力行：努力做，这里指身体力行前面的孝、弟、谨、信、爱、仁。
但：只，仅仅。
长：滋长。
何：什么。

**译文**

如果不努力去实践，而只是一味死读书本上的知识，就容易滋长浮华的习性，这样能有什么出息呢！

**故事**

### 纸上谈兵

赵括是战国时期赵国大将赵奢的儿子，从小熟读兵法，讲起战术来头头是道，但赵奢却不以为然。

这一年，秦国攻打赵国，赵国派老将廉颇前去抵挡。廉颇很有经验，他根据敌强我弱的形势，采取坚守不出、保存实力的策略，有效阻止了秦国的进攻。秦军连攻了三年也没有打退赵军。

秦国见廉颇难对付，就采用反间计，派人散布流言，挑拨赵王和廉颇的关系，还说：如果这次派来的不是廉颇而是赵括，那秦军早就失败了。

于是，赵王就派只会空谈兵法的赵括，代替了廉颇。赵括之前从未带兵打仗，且轻视敌人，于是，轻率地改变了老将廉颇的战略，在秦军的引诱下出兵迎战，结果使四十万赵军受到埋伏，全军覆没，而赵括也被乱箭射死。

### 古代的学校

国学：为天子或诸侯所设，包括太学和小学两种。太学、小学教学内容都是以"六艺"（礼、乐、射、御、书、数）为主，小学尤以书、数为主。

乡学：泛指地方所设的学校。

书院：唐宋至明清的一种独立的教育机构，是私人或官府所设的聚徒讲授、研究学问的场所。

dàn lì xíng　　bù xué wén

# 但力行，不学文，

rèn jǐ jiàn　　mèi lǐ zhēn

# 任己见，昧理真。

## 注释

但：只是。

任：任由。

见：见识，这里指偏见。

昧：糊涂，难以分辨。

## 译文

但如果只是一味去做，不肯读书学习。任由自己的偏见，就会对事理的真谛难以分辨。

## 故事

### 爱思考的杨愔

杨愔小时候爱读书，而且学习专注，并且时常有所思考，很多见识连大人都赶不上。

有一天，杨愔坐在马路边的李子树下看书。这时，一群小孩子经过，他们问杨愔："这棵李子树是你家的吗？"

杨愔回答说："不是，这棵李子树没有主人。"

于是，其中几个小孩子就笑着说："那你在这棵李子树下读书，也不知道摘几个李子，真是笨。"说着，他们就用竹竿把树上的李子打了下来，一个个争着要去品尝。

谁想到每一个李子都是酸的，大家不是吐舌头，就是流眼泪。

这时，杨愔说："路边的李子树，李子竟然没有人摘，如果是甜的，不早就被人摘去了吗？哪还轮得到我们这些小孩子！"

### "思问习"学习法

"思问习"学习法是孔子主张的学习方法。它包括三点：

（1）重视思考。在学习过程中，要动脑筋。孔子说："学而不思则罔，思而不学则殆。"思考与学习要交互进行。

（2）不懂就问。读书在于求知识，不懂又不问是求不到知识的。孔子说："敏而好学，不耻下问。""知之为知之，不知为不知，是知也。"

（3）经常巩固复习。孔子说："温故而知新，可以为师矣。"

dú shū fǎ　　yǒu sān dào

# 读书法，有三到，

xīn yǎn kǒu　　xìn jiē yào

# 心眼口，信皆要。

## 注释

信：确实。

要：必要。

## 译文

谈到读书的方法，要注重三到：心到、眼到、口到，这三者确实很有必要。

## 故事

### 积叶成书

元代有个读书人叫陶宗仪，家里十分清贫。为了生活，他每天都要到田里劳动，但他从来没有放弃读书和创作。

每当干活累了的时候，陶宗仪就靠在树下休息，然后拿起从别人那里借来的书，一边读一边思考。一旦看到或想到了好的词句，就从树上摘下宽大的树叶，把这些词句记在树叶上面，然后放到一只罐子里保存。

就这样，陶宗仪每天都为自己的创作积累素材，他的屋子里积攒了好多罐树叶，储存了大量的创作资料。

几年后，陶宗仪把罐子里的树叶全都拿出来，进行分类整理，最后编成了《南村辍耕录》，流传于世。

## 朱子读书法

朱熹是南宋著名理学家、教育家，曾长期聚徒讲学，主持修复了白鹿洞书院和岳麓书院。他一生编撰了多种教材，其中影响最深广、最重要的是《四书章句集注》。

朱子读书法是古代最有影响的读书方法论，是朱熹的学生汇集他的训导概括归纳出来的。共包括六条：循序渐进、熟读精思、虚心涵泳、切己体察、着紧用力、居敬持志。

其中，"居敬持志"是他最重要的读书方法，"敬"就是端正态度，诚心诚意、兢兢业业地去做，否则，所读之书就都没有用了。

fāng dú cǐ　　wù mù bǐ
# 方读此，勿慕彼，
cǐ wèi zhōng　　bǐ wù qǐ
# 此未终，彼勿起。

## 注释

方：正在。　　　　　此：这个。

慕：羡慕，想。　　　彼：那个。

起：开始。

## 译文

　　正在读着这本书时，就不要想着那本书。这本书还未读完，就不要再去读另一本书。

## 故事

### ❀ 赵普夜读《论语》 ❀

　　宋太祖的时候，有一个叫赵普的被任命为宰相。因为他小时读书少，所以，在处理奏章时经常出错，于是，便在晚上勤学苦读。

　　有天晚上，宋太祖前去看他，见赵普正在挑灯夜读《论语》，感到十分奇怪，就问他："《论语》是儿童们读的书，你怎么还在读它？"赵普说："我小时候读《论语》只是认字，现在，我是从《论语》中学习齐家、治国、平天下的道理。《论语》我都没读通，别的书我也没必要去读了。"

宋太祖死后，有人进谗言说赵普不学无术，所读的书仅仅一部《论语》而已，不配做宰相。宋太宗不以为然，便找个机会问赵普。赵普回答说："我平生所知，确实不超出《论语》这部书。过去我以半部《论语》辅助太祖平定天下，现在我打算用半部《论语》辅助陛下治理天下。"

顿时，宋太宗被深深折服了。

### "一意求之"读书法

"一意求之"读书法是苏轼提倡的，它的最大特点是"求一"，即阅读经典著作，每读一遍，只围绕一个中心，侧重一项内容，抓住一条线索，解决一个问题。

这样读书做学问，就好像打仗一样，把敌人化整为零，各个击破。为了避免精力分散，在阅读中凡与"求一""主攻"对象无关的，一概不加涉及。

"一意求之"使读书者变得专注，而不会左顾右盼，失去方向，是一种很优秀的读书方法。

kuān wéi xiàn    jǐn yòng gōng

# 宽为限，紧用功，

gōng fū dào    zhì sè tōng

# 工夫到，滞塞通。

## 注释

宽：宽裕。　　　　　　限：期限。

紧：抓紧时间。　　　　滞塞：学习中不懂的地方。

## 译文

把学习的期限安排得宽裕一些，但却要抓紧时间。只要功夫到了，不懂的地方就自然弄通了。

## 故事

### 戴震的功夫

戴震是清代著名的考据学家、思想家。

戴震十岁入学读书，记忆力特别强，每天坚持熟读几千字的文章，直到理解透彻方肯罢休。而且戴震无论读什么书，一定要弄清楚每个字的意义，可是老师讲课时，只是粗略地举出前人的注解告诉他，往往不再做进一步的解释。因为戴震总是提问，所以，后来老师干脆取出许慎的《说文解字》和其他字典交给他，让他自己去查阅。这样过了三年，戴震就完全掌握了其中的内容。

之后，戴震又拿出汉代经学家的各种著作，相互参照、考证，每个字都穷本溯源，贯穿群经，久而久之，便把《十三经》全都弄通了。

后来，乾隆年间朝廷召集民间才子编修《四库全书》，特别召他为纂修官，主管编修的大小事务。

## "计字日诵"读书法

"计字日诵"读书法，是欧阳修发明的读书方法。他先统计应读的总字数，再分配为每天的页数，作为当日读书的进度，长期坚持。

欧阳修自身的"计字日诵"，是根据自己的需要，精选了《孝经》《论语》《诗经》等十部书，总字数为455865字，然后规定每天熟读300字，用三年半时间全部熟读完毕。每天背诵150字，只需七年时间就能背熟了。

这是他的经验之谈，表明熟读背诵古文的重要。每日定量计字，细水长流，积少成多，是欧阳修实践过并且被证明行之有效的读书方法。

xīn yǒu yí    suí zhá jì

# 心 有 疑 ，随 札 记 ，

jiù rén wèn    qiú què yì

# 就 人 问 ，求 确 义 。

## 注释

疑：疑问。

就：前去，向前。

札记：记笔记。

确：确定，确切。

## 译文

如果心中有疑问，就要随手记到笔记里。去向别人虚心请教，求得它确切的真义。

## 故事

### 范缜好问

南北朝时期有位著名的哲学家，名叫范缜。

他小时候家里很清贫，父母早亡，由哥嫂抚养长大。年幼的范缜很爱学习，凡事都喜欢问个"为什么"。因为贫穷，他没有钱去请老师读书，就只好自学，所以，经常遇到难以想通的问题。

很快，范缜长大成人，他决心去向一位老师学习。由于范缜从小没上过学，基础没有别人好，常问些比较浅显的问题。不仅同学们笑话他，有时连老师也不耐烦。

可是，范缜并不气馁。每天都比别人起得早，晚上比别人睡得晚，一心一意地学习、研究。随着知识一天天积累，他的问题也越来越有深度，有时连老师也答不上来了。

凭着这种勤学好问的精神，范缜终于成了一名博学的学者。

## 古代的"六艺"

古代儒家要求掌握的基本技能：礼、乐、射、御、书、数，合称"六艺"。

礼：主要指德育，不学礼就不能在社会立足，不能做人。礼是外在的，它能使大家彼此相敬。

乐：不仅仅指美育；乐是内在的，它能使大家彼此相亲。

射：射箭。

御：驾车；与"射"合起来就是体育和劳动。

书：各种文化知识。

数：数学。

fáng shì qīng　　qiáng bì jìng
# 房室清，墙壁净，

jī àn jié　　　bǐ yàn zhèng
# 几案洁，笔砚正。

## 注释

清：清洁。

净：干净。

几案：书桌。

正：端正。

## 译文

　　书房、卧室要保持清洁，墙壁要保持干净。书桌要保持整洁，笔墨纸砚要摆放端正。

## 故事

### 一屋不扫何以扫天下

　　东汉时，有个叫陈蕃的孩子，从小胸怀大志，一心想报效国家。

　　有一天，陈蕃父亲的朋友薛勤来看望陈蕃。一进门，看见庭院中杂草丛生，书本堆得到处都是，薛勤不解地问："院子里这么乱，为什么不好好打扫一下呢？"

　　陈蕃理直气壮地回答说："我这双手，是用来打扫天下的，怎么能用来打扫房屋呢？"

　　薛勤听了，觉得陈蕃将来必定会有所作为，但却有些好高骛远。于是，他笑着劝陈蕃："一屋不扫何以扫天下？"

陈蕃感到很惭愧，明白要想做大事必须从小事做起。于是，他拿起了扫帚，赶忙把房屋打扫干净了。

后来，陈蕃经过不断的努力，终于成了国家的有用之才。

### 文房四宝

"文房四宝"是中国独有的文书工具，即笔、墨、纸、砚。它的名字最早出现在南北朝时期，因书房又被称为文房，最常用的书画工具只有四种，其名则由此而来。

其中砚台，别名润色先生，是文房四宝中能传世最久的一宝，所以，很多文人都喜欢收集砚台。

在现代，最出名的"文房四宝"为：安徽泾县的宣纸、歙县的徽墨、浙江吴兴的湖笔、安徽泾县的宣笔、广东高要的端砚，以及与端砚齐名的歙县的歙砚。

mò  mó  piān    xīn  bù  duān
# 墨磨偏，心不端，

zì  bú  jìng    xīn  xiān  bìng
# 字不敬，心先病。

## 注释

偏：歪。　　　　　　端：端正。
敬：工整。　　　　　　病：有问题。

## 译文

　　如果把墨磨偏了，说明内心不端正。如果字写得不工整，说明内心有问题。

## 故事

### 王献之学书

　　在东晋时期，有两位有名的书法家，他们是父子，父亲叫王羲之，儿子叫王献之。

　　王献之小的时候为了继承家学，便向父亲王羲之学习书法。

　　学了一段时间后，他觉得差不多了。一天，他在屋里一连写了十几个"大"字，然后选了一个拿去给父亲看。王羲之看后，什么话也没说，在他所写字中的一个"大"字下点了一个点。王献之不明白这是怎么回事，就拿去让自己的母亲看。王献之的母亲也是书法名家，看了王献之写的字后，仔细审视，然后指着王羲之在上面点的那一点，说："除了这一点写得不错外，其他的字都写得不正。"

　　王献之听了，才知道自己和父亲的书法还差得远，从此一心练字，后来也成了书法名家。

### 为什么说"字如其人"

　　"字如其人"作为一个成语，最早源于西汉文学家扬雄讲的一句名言："书，心画也。"这句话的意思是说，书法能够描绘出人的心理。写毛笔字的人，能够用线条来表达和抒发作者的情感心绪。

　　苏轼在《论书》中说："书必有神、气、骨、肉、血，五者不能缺一。"拿人体结构与字进行对比，第一次提出了"字"和"人"的关系。

　　清代的刘熙载更形象地说："贤哲之士的字，温和醇厚；英雄豪杰的字，沉着刚毅；脱俗奇人的字，磊落洒脱；文人学士的字，清俊秀丽。"可谓是"字如其人"的最好注释。

liè diǎn jí　yǒu dìng chù

# 列典籍，有定处，

dú　kàn bì　huán yuán chù

# 读看毕，还原处。

## 注释

列：陈列，摆放。

定：固定。

## 译文

陈列典籍，要有固定的地方。一本书读完了，要放回原处。

## 故事

### ┇ 陆倕读书 ┇

陆倕是南朝时期著名的人物。他自幼就喜爱读书，且记忆力惊人。

六岁的时候，父亲给陆倕盖了一间小茅草屋，供他一个人在内攻读古典书籍，并把先秦两汉、诸子百家的各类书籍都弄来摆在小茅屋里，让他随时可以翻阅，但唯独没有《汉书》。

他听说不读《史记》和《汉书》就不能称为学者，于是，便要求父亲借本《汉书》回来读。

过了不久，借回的《汉书》该还了，而陆倕却找不到《汉书》中的四卷《五行志》了。父亲在一堆书中到处寻找《五行志》的下落，可惜还是没有找到。幸运的是，陆倕已将《汉书》背熟了，他将所缺的《五行志》默写出来，这才还给了人家。

## 中国书籍的演变

中国最早的书籍是商代刻有文字的龟甲或兽骨，距今已有三千余年。

从商代后期开始，出现了青铜器铭文，统治者将重要文书铸于青铜器上。

西周后期的书籍形式为竹简、木简、木牍等。

春秋以后至东汉，帛书是一种常见的书籍形式。

石经也是古代书籍的一种形制，它刻于石碑上，供人们阅读、传抄和校正，价值很高。

西汉时期，纸张开始流行，逐渐出现了雕版印刷与活字印刷，这才使书籍变得大众化起来。

suī yǒu jí　jùan shù qí
## 虽有急，卷束齐，

yǒu quē huài　　jiù bǔ zhī
## 有缺坏，就补之。

### 注释

卷：书本。

束：整理。

### 译文

即使有急事，也要把书本整理齐。如果发现书本有缺损，就应及时修补好。

### 故事

#### 韦编三绝

孔子是我国著名的大思想家，少年时就勤奋好学，十七岁就因知识渊博而闻名于鲁国，这当然是和孔子刻苦读书分不开的。

春秋时期，书主要是用刀刻在竹简上的，一部书要用许多竹简，通过牢固的绳子按次序编连起来才最后成书，便于阅读。

孔子到了晚年，喜欢读《周易》，因为每天翻阅，反复阅读，把穿竹简的牛皮绳都磨断了。而每磨断一次，孔子就整理一次，用新的牛皮绳系好，一直使《周易》保存完好。

就这样，孔子熟读《周易》，写出了十篇体会文章，即《十翼》。他说："如果能多活几年，我就可以多理解些《周易》的内容了。"

### 编、篇、卷、集、册、本

编：造纸术发明以前，书籍用竹木简编连起来，都称为"编"，整本的书籍也被称作"编"。

篇：写在竹简上的书籍，为保持前后完整，编集在一起称为"篇"。

卷：用帛书写的书籍，由于长度较长，存放时多卷成一团存放起来，就为"一卷书"。此外，由于古人往往把书中一类的内容卷在一起，于是，"卷"就成了计算书籍数量的单位。

集：汇集单篇作品编成的书册。

册：编连起来的竹简、帛、纸张，称为策，因其形状像"册"字，则称"册"。

本：指书籍的版本或底本，用于比较薄的书册。

fēi shèng shū　　bǐng wù shì

# 非圣书，屏勿视，

bì cōng míng　　huài xīn zhì

# 蔽聪明，坏心志。

## 注释

圣书：圣贤之书，指有益的书。

屏：同"摒"，摒弃。

蔽：蒙蔽。

坏：败坏。

心志：思想。

## 译文

不是有益的书，就应当摒弃不看。这些书容易蒙蔽人的聪明智慧，败坏人的思想和志向。

## 故事

### ❘ 康熙皇帝的庭训 ❘

康熙皇帝在对他后代子孙的庭训里交代："二十岁之前，不要读小说，否则很容易染习到权谋智巧。尤其在他们涉世未深，不懂得明辨是非的情况下。"

同时，康熙皇帝对自己要求也很严格。他对大臣们说："在皇宫内，有很多话听不到，因为很多人不敢讲实话。那该如何来警醒自己呢？唯一的办法就是读古书，读圣贤的经典，以此来检查每日自身的所作所为，是不是哪里有过失、哪里有缺失。"

就这样，康熙皇帝治国取得了良好的成效，他在位六十一年，国泰民安，为清王朝的强盛奠定了牢固的基础。

wù zì bào　　wù zì qì
# 勿自暴，勿自弃，
shèng yǔ xián　　kě xùn zhì
# 圣与贤，可驯致。

## 注释

暴：损害，糟蹋。
驯：循序渐进。
致：达到。

## 译文

　　不要自己伤害自己，不要自己放弃自己。圣人和贤人的境界，通过循序渐进，是可以达到的。

## 故事

### 一鸣惊人

　　西汉时期，有个家境贫穷的秀才，叫朱买臣，他靠上山砍柴来维持生活。虽然家境贫困，但是朱买臣很爱读书。他每天上山砍柴的时候，身上总是带着一本书。他砍一会儿柴，就看一会儿书，有时甚至因为看书而耽误了砍柴。

　　他的妻子崔氏常常对他大发脾气："你只知道读书，我们家都这么穷了，再这样下去，咱们怎么能过上好日子呢？"朱买臣听了妻子的话也不反驳，但是宁肯饿着肚子也决不放弃读书。

　　后来，妻子因为不愿再过苦日子，就离开了朱买臣。

可是，朱买臣并未因此而改变志向，不自暴，不自弃，仍旧坚持刻苦读书。

终于有一天，朱买臣的声名传到了一位大臣的耳中，因而被举荐给了皇帝。朱买臣被皇帝任命为地方长官，从此一鸣惊人，成了国家的栋梁。

### 圣人和贤人

在现代，"圣贤"往往并称，都是指道德高尚的人。但在古代，"圣人"和"贤人"却是有严格区分的。

从儒家的角度来看："圣人"是已经达到至善的人，他能够做到知行合一。而"贤人"是指有才能、有道德的人，他能够施展抱负，为时代做出一定的贡献。

从道家的角度来看："圣人"是指行事无为，虽然在世间却能够达到天人合一的境界，有很高的智慧。而"贤人"则是了解自然规律，能够顺应自然的人。

总体来说，"圣人"总是比"贤人"要高出一等的。